Eurus

Notus

超デジタル世界

―DX、メタバースのゆくえ

西垣 通
Toru Nishigaki

Boreas

Zephyrus

岩波新書
195

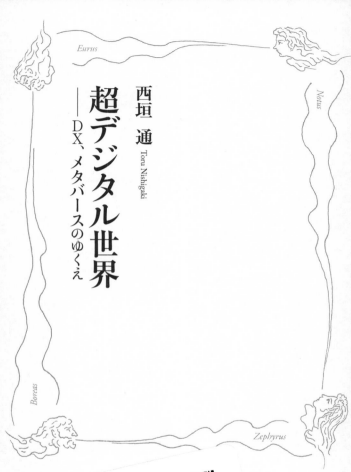

はじめに

この国のデジタル化は成功するのか。そのための条件は何か。――この問いに答えるのが本書の目的である。

日本のデジタル化は遅れているという声が高い。コロナ禍にともない「デジタル敗戦」という声すら上がった。デジタル後進国となった原因は何だろうか。誰もがグローバルにインターネットで情報をやり取りし、民主的に集合知をつくっていくという理想はどうなったのだろう。関係者が怠けていたわけではない。２０１０年代から、ＡＩ（人工知能）やＩｏＴ（Internet of Things）に加えて、ソサエティ５・０やスマートシティといった用語がマスコミを賑わわせてきた。最近はとくに「ＤＸ（Digital Transformation）」や「メタバース（Metaverse）」といった欧米由来の概念が注目をあつめている。これらを強力に推進することが、経済成長を促し、日本の国際競争力を向上させるという信念が広がりつつあるのだ。２０２１年のデジタル庁の発足もその一環に他ならない。コロナ禍が職場や教育現場のリモート化を推し進めているという声もある。

しかしながら、はたしてデジタル化にむけて一直線に突き進むのは正しい選択なのだろうか。かつて日本のデジタル技術は非常に高く、20世紀末には米国に迫る勢いだった(本書では「米国」も「アメリカ」もアメリカ合衆国を指す)。これはただの一般論ではなく、1970年代初めから日本の代表的コンピュータ・メーカーでソフトウェアの研究に従事し、1980年には米国スタンフォード大学コンピュータ・システム研究所で先端技術を学んだ筆者の実感である。にもかかわらずデジタル化が進まないとすれば、技術以外の社会的・文化的な原因があるに違いない。いったん立ち止まり、巨視的に眺めてメスを入れないと、掛け声だけでは事態は好転しないのではないか。

DXやメタバースを支えるのは、インターネットやAIといったデジタル技術だ。それらは、政治的・経済的にグローバル化を進める、アメリカニズムの理想主義を体現している。とはいえ、率直にいって、アメリカニズムの未来にはいま、暗雲が漂っているように思える。

デジタル先進大国の米国が、巨大な経済格差のもたらす政治的・社会的な分断で深刻にあえいでいることは、2021年1月の大統領選挙直後の連邦議会議事堂襲撃事件を見ても明らかだ。経済的に潤っているのはごく一部の富裕層だけで、中間層は没落し、国力は以前よりはるかに衰えている。米国一極集中は崩れ、中国の経済力が増大し、ロシアの強引なウクライナ侵攻もあって、世界のブロック化が加速している。米国のみならず欧州も移民問題で苦しみ、EU(欧州連合)の中でさえ反グローバリズムやポピュリズムの気配が漂いつつある。

日本も例外ではない。ウェブ2・0が到来した頃、ネット上のSNS(Social Networking Service)コミュニケーションは、一般の人々のあいだに情報共有による連帯と民主化を促進すると期待された。だが今や、SNSの内部にも匿名の誹謗中傷やフェイクニュースがあふれ、陰湿なイジメも横行している。一般の人々がネット内の詐欺やサイバー犯罪で脅かされ、悪質なビジネスで搾取される危険も小さくない。無軌道な自由競争の鼓吹はじわじわと経済的格差を広げ、社会のなかに不安といら立ちを鬱積させ、敗者の絶望と怨念が自殺や悲惨な暴力事件を引き起こしつつある。いくらアメリカ流仮想空間のデジタル技術が便利でも、リアル空間そのものが病んでいるのだ。

デジタル化が順調に進まないのは、一般の多くの人々が本能的にこういった事態の悪化を避けようとしているからではないだろうか。そういう社会的背景から目をそらし、ただ米国の背中を周回遅れで追いかけつつ、急げと騒ぐだけでは、近未来は暗い。本質的問題を解決するにはどうすればよいのか。

この問いに答えるため、第一〜二章では、DXとメタバースにつき、その技術的・文化的な特質を明らかにする。インターネットを駆使したデジタル技術によって、世界中の普通の人々の日常生活を変革するのがDXだ。そしてメタバースとは、三次元のサイバー(仮想)空間で人知に匹敵するAIが活躍してリアル空間を導くものである。これらについての分析がイントロダクションとなる。

次に第三〜四章は本書の眼目であり、ここで一歩踏み込んだ議論を行う。19世紀は西欧中心の時代だったが、20世紀をリードしたのは米国文化である。一般の人々が創りだす集合知が社会の繁栄を築くのであり、インターネットはそのための最良のツールとなるはずだった。その歯車が狂ったとすれば、いったい理由は何なのか。これは技術のみならず、社会思想史的に考えるべきテーマに他ならない。

最後に第五章では、以上の考察をふまえ、あらためてこの国の現状をとらえ直す。そして背景に横たわる文化的・社会的な問題点を指摘するとともに、解決のための具体的提言につなげていく。

一歩離れたところから、概観してみよう。

西洋由来の啓蒙思想が世界を救って進歩させるという発想は、すでに20世紀後半のポストモダニズムによって批判されてきた。たとえグローバルなデジタル文明という流れを受容するにせよ、アメリカニズムをまるごと輸入するのではなく、世界がブロック化していく中で、アジア的な国民性に合った方向を模索していくべきではないか。その模索はデジタル文明への根源的問いかけにつながり、21世紀にわれわれが生きていくヒントとなるだろう。

本書を著すにあたり、たくさんの方々にお世話になった。東京大学大学院情報学環の(旧)西垣研究室卒業生を中心としたネオ・サイバネティクス研究会、および情報システム学会の基礎情報学研究会メンバーとの討論は有益だった。とくにオギュスタン・ベルクの論考を紹介して下さった三村和子さんに御礼を申し上げる。最後に、編集の労をとって頂いた岩波書店の上田麻里さん、ならびに長いあいだ執筆活動を支えてくれた家族に心から感謝したい。

二〇二一年八月

西垣　通

目　次

第一章

ＤＸとはオープンネット化

デジタル敗戦

日本がデジタル後進国であるという評価があるが、それはいったい何を根拠にしているのか。確かにマイナンバーカードの普及や活用が遅れているといった部分的兆候は明らかだ。だが、諸外国と比べてデジタル化が総合的に遅れているとすれば、より踏みこんで詳しく考えてみなくてはならない。

スイスのビジネススクールＩＭＤがまとめた２０２１年版の世界デジタル競争力ランキングによると、日本の総合順位は64カ国(地域)中で第28位である。トップは米国だが、シンガポール、スイス、台湾、韓国などをはじめ、中国、イギリス、ドイツなどにも水をあけられてしまった。こうなった理由として、日本は「デジタルやテクノロジーに関するスキル」が第62位、「国際経験」が第64位と、とりわけ人材に関する項目が最低水準であることが響いたようだ。

ここまではっきり断定されると反論する気が失せるが、違和感が残らないわけでもない。衰えてきたとはいえ、ＧＤＰ(国内総生産)では米中についで第３位の経済大国として、かねてから科学技術立国が表明されてきた。そしてＡＩ(人工知能)やロボットのようなＩＣＴ(情報通信技術)は、その最重点項目の一つではないか。

一時、「スマートシティ」や「ソサエティ5・0」といった言葉が、産官学からしきりに発せられた。スマートシティとは手短にいうと、AIやインターネットを活用したデジタル都市のことだろう。そして、ソサエティ5・0とはいわば、デジタルなサイバー(仮想)空間が物理的なリアル空間と融合した社会といったイメージではないか。ソサエティ1・0が狩猟社会、2・0が農耕社会、3・0が工業社会、4・0が情報社会で、その後にくるのがソサエティ5・0ということらしい。正直に言うと、この命名はあまりに大袈裟だと感じる。農耕社会になったのが約一万年前、工業社会は産業革命が起きた18世紀後半からで、情報社会が誕生したのは一般家庭にテレビが普及したわずか半世紀くらい前なのだ。せいぜい後期情報社会や、情報社会2・0といったあたりが適当ではないか。いずれにせよ、日本がデジタル後進国だとすれば、そんな地球規模の社会大変動の旗振り役になれるはずもない、という素朴な疑問を抱かずにはいられない。

ここで、またもや欧米から「DX(Digital Transformation)」や「メタバース(Metaverse)」といった言葉が入ってきた。実はDXという用語自体は2000年代からあったのだが、スマートシティやソサエティ5・0がすでに陳腐化しつつあるので、誰かが慌てて持ちだしたのかもしれない。今やＤＸとメタバースを大声で推奨し、この国のデジタル化を促進しようというのが、産官学リーダーたちの目論見なのである。２０２１年9月に発足したデジタル庁は、その象徴といってもよい。行政ＤＸを実現し範を示すのがデジタル庁なのだ、と勢い込んで位置づける人も少なくない。

だが果たして、そういう目論見は成功するのだろうか。

ＤＸやメタバースという概念に踏み込む前に、まずこの国のデジタル化の現状を直視してみよう。ここで、デジタル庁の初代担当相だった平井卓也が、日本は「デジタル敗戦」を喫したと２０２０年10月に総括したことを想い出しておきたい(日経コンピュータ『なぜデジタル政府は失敗し続けるのか』、13頁)。端的にはこの言葉は、２０２０年からの新型コロナ・ウイルスの蔓延に際して、行政のデジタル技術が有効性を発揮できなかったことへの厳しい批判のようだ。デジタル庁発足以前の発言だから、この言葉は、デジタル庁の活動の反省ではない。コロナ禍にたいしてこの国の政府・自治体が迅速に対応できなかった事態を反省すべきだ、ということだろう。

コロナ禍は、百年に一度とも言われる想定外の疫病襲来である。どの国の政府の対応も、多かれ少なかれ迷走した。人口あたりの感染者数も死亡者数も、累計では欧米諸国よりはるかに少なく、医療現場も保健所も奮闘したのだから、政府・自治体をあまり責めるのは酷だ、という気もする。むろん、感染率が低くても病床逼迫や医療崩壊の危険を騒ぎたてるのはなぜか、とか、医療先進国なのにもかかわらず国産のワクチンや治療薬をなぜ作れないのか、といった疑問は誰しも持つわけだが、それらはデジタル化とは直接関係はない。

ただ大事なポイントは、テレワークやオンライン授業といった、国民すべてを巻きこむ社会のデジタル化を、コロナ禍が否応なく推し進めたということだ。そして、デジタル革命とでもいうべきこの社会変化を行政がもっと認識しなくてはならない、以前からＩＣＴの活用にもっと本腰をいれるべきだったのに、という無念の気持ちが、デジタル庁初代担当相の「デジタル敗戦」という発言には込められているのではないか。

国連による２０２０年の世界電子政府ランキングで、日本は第14位だった（日本経済新聞電子版、２０２０年12月30日）。行政事務はなお対面での書面処理が原則で、押印処理も必要とされており、オンライン化は確かにそれほど進んでいない。

とはいえ、これまで電子政府をつくる努力がなされてこなかったというのは、全く事実に反する。ＩＴ基本法（高度情報通信ネットワーク社会形成基本法）が制定されたのは２０００年で、２００１年には「e-Japan 戦略」が掲げられた。そこでは必要な通信インフラを整備して、「国のあらゆる行政手続きをオンライン化する」という目標が立てられた。世界最先端のＩＴ国家を創る、という電子政府の建設計画はこの国に明確に存在したのである（拙著『ＩＴ革命』などを参照）。

通信インフラそのものは整備された。日本の携帯電話網や光ファイバー網は、国際的に見ても第一級なのだ。だが、それを活用して行政事務を抜本的に改革することが20年たってもできなかった。「失われた20年」というわけである。

とくに知られている失敗例は、経済産業省管轄の特許庁システムと、厚生労働省管轄の年金システム（社会保険オンライン・システム）だ。両方とも行政の代表的なシステムで、それぞれ昔からメインフレーム（汎用大型計算機）による巨大なシステムが存在したのだが、その刷新改革が首尾よく進まなかったのである。

経緯を簡単にまとめておこう。特許庁システムについては、発注契約をめぐって混乱があり、請け負ったＩＣＴ企業と刷新改革の細かい内容についての意思疎通がうまく行かなかった。さらに、複数の大手ＩＣＴ企業と特許庁職員のあいだで利益供与による不祥事があり、逮捕者もでてプロジェクトは２０１１年にいったん頓挫してしまった。

一方、年金システムについては、年金記録の氏名や年齢が一部欠けている不完全なデータが数千万件もあることが、刷新改革の過程で判明した。いわゆる２００７年の「消えた年金問題」である。人海戦術で突き合わせをおこない、何とか刷新作業を再開したものの、２０１５年にウイルス付き偽装メールによる標的型サイバー攻撃を受け、百万件以上の年金記録がインターネット経由で外部に流出してしまった。

こんな具合で、e-Japan 戦略による電子政府の建設は成功したとは言えない。理由としてよく指摘されるのは、どの省庁にもＩＣＴに通じた専門家が少ないこと、それゆえ長い間、省庁ごとに外部の大手ＩＣＴ企業（ベンダー）に丸投げ発注していたことである。さらに加えて、省庁ごとのシステムの間に壁があり、急にオープンなネットワークで統一しようとしても無理だったという批判の声もある（詳細については、前掲『なぜデジタル政府は失敗し続けるのか』を参照）。

行政デジタル化の挫折

デジタル化失敗の原因をさらに詳しくさぐるため、コロナ禍とともにデジタル敗戦という言葉がうまれた近年の出来事を眺めてみよう。具体例として、感染者情報支援システム「ＨＥＲ《ハー》－ＳＹＳ《シス》」、接触確認アプリ「ＣＯＣＯＡ《ココア》」、そして医療情報支援システム「Ｇ－ＭＩＳ《ジーミス》」の三つがあげられる。これらの例から、デジタル化につまずく理由が次第に明確になってくるはずだ。

HER-SYSというのは、医療現場から保健所に患者の発生届をインターネット経由で送り、それを感染症専門家が疫学的に収集し、統計分析して政策に役立てることを目指して、厚生労働省が2020年に緊急開発したシステムである。同様の機能をもつNESIDという平時用のシステムはすでにあったのだが、これは手書きで入力した発生届を医師が保健所にファクスで送り、それを保健所で端末からデータ入力して感染症専門家が分析する仕組みだった。HER-SYSができれば医師が直接データを入力するから、保健所の手間もはぶけるし、データもリアルタイムで迅速に集計分析できるはずだった。

しかし現実には、医療現場でも保健所でも不評で、うまく活用されなかったのである。当初、患者一人当たりの入力項目が二百近くあって多すぎ、非常時で多忙をきわめる現場では使いものにならなかったのだ。さらに、苦労して入力しても、そのデータを、誰がいかに分析して対策に役立てるのか分からない、という不満も現場にはあったという。患者のプライバシーに関わる個人情報なのだから、ネットで漏れてはまずいという懸念もあっただろう。紙とファクスの報告のほうがましだ、という声もあがったらしい。HER-SYS開発の意図はよくわかるが、短兵急すぎてユーザーへの配慮が足りなかったのではないか。

次に接触確認アプリCOCOAの失敗については、マスコミでもかなり取りあげられた。COCOAとは、コロナ感染の拡大をふせぐため、スマホによって感染者の濃厚接触者を見つけだすためのシステムである。スマホにはブルートゥース(bluetooth)という近距離無線通信機能があり、たとえば複数の人々が1メートル以内で15分以上一緒にいた場合、それぞれのスマホに履歴を記録することができる。誰かが感染すると、そのことが各自のスマホに通知されるので、自分が濃厚接触者だとわかるわけだ。

COCOAは2020年6月に公開されたが、ある種のスマホには通知が何カ月も届かないといった大きなミスが相次ぎ、さらに、グーグル社やアップル社によるスマホOS(基本ソフト)の最新バージョン・アップに対応できないといった不具合も生じた。原因としては、厚生労働省が幾つかの異なるICT企業にまたがって開発や保守作業を丸投げ外注したため、ミスの修正作業が混乱し、遅延が発生したと言われている。COCOAのベースはオープンなソフトウェアだったが、各社が勝手に手を加えれば矛盾も生じるだろう。加えて、もともとブルートゥースの目的は無線通信なので、濃厚接触者を検知する精度の信頼性という問題もある。結局、世間の評価があがらず、COCOAをダウンロードした人口は公開ののち一年以上たっても総人口の3割に届かず、感染抑制の切り札とはならなかった。

最後に医療情報支援システムG‐MISである。これは全国3万あまりの医療機関と政府(厚生労働省)が情報を共有し、国としてのコロナ対策の基礎資料とするシステムである。各病院の病床数・利用率や医療スタッフの対応状況などを継続的に把握し、エクモ(人工肺装置)や防護服の確保状況なども一元的に管理して、病床逼迫や医療崩壊を防ごうというわけだ。現在も稼働中なので、いちがいに失敗と見なすことはできない。

ただ問題は、国と自治体とで情報共有の仕方が統合されず、バラバラになっているという批判があることだ。大阪府や神奈川県など大きな自治体では、昔から自分の地域の医療情報を把握し管理するシステムを構築済みだった(もともとG‐MISは、神奈川県の医療情報支援システムを手本として開発されたという)。結局、医療機関は、国と自治体の両方のシステムに、同様のデータを入力する二度手間を強いられることになってしまった。つまり、医療支援を行う政治的主体はどこなのかが明確でないことが、デジタル化とともに表面化したわけである。

さて、以上のべた例から、行政のデジタル化について、少なくとも三つの教訓が得られる。マスコミでも行政のデジタル化の遅れを指弾する記事は多いが、単なる省庁間のデータ・フォーマット標準化の努力不足などではなく、問題の根はもっと深い。

第一に、処理が閉じた(クローズドな)既存の旧システムからオープンなインターネット・ベースの統一的な新システムへ移行することは、決して容易な刷新作業ではない。ユーザーである現場も混乱しやすいし、話はコスト削減だけでは終わらないのだ。とりわけ、個人情報など機密性が高いデータを扱う場合は、十分な慎重さが肝心である。この見通しの甘さが、ＨＥＲ－ＳＹＳだけでなく、特許庁システムや年金システムの失敗につながった。

第二に、ＩＣＴシステムは、通常の工業製品と異なり、完成した後の稼働中にも次々に不具合が露見することが多い。開発と保守の作業を截然と切り離すことはできず、あえて言えば、長期にわたる開発作業の一環として保守作業が位置づけられる。とりわけ、ユーザーが期待する品質水準が高いこの国では、拙速の見切り発車は成功しない。ＣＯＣＯＡはその典型例といえるだろう。

第三に、ＩＣＴによる詳細なデータ処理に落とし込む前の、もっと基本的な設計の段階で、大きな問題が潜んでいる場合もある。Ｇ－ＭＩＳは中央政府と地方自治体の連携不足を明らかにしてしまった。こういう点は、行政デジタル化を進める際にあらかじめ検討が不可欠だろう。官庁にＩＣＴ専門家が少ないことも一因だが、根本的には、行政業務全般とＩＣＴ処理の両方に通じた人材を長期的に育成することが大切ではないか。

DXの本質

右にあげたような教訓は、官庁にかぎらず、企業などどんな大組織にもあてはまる。DXを急げと声高に叫ぶことは自由だが、それが社会全体のデジタル化を推進する上でどのような影響を与えるのか、よく考慮しなくてはならない。さもないと、再び失敗を繰り返すことになってしまうからだ。

そもそもDXと呼ばれる「デジタルなトランスフォーメーション（変革）」とは何か、イメージさえ曖昧模糊としていないだろうか。変革の目的はどうやら効率向上にあるようだが、具体的に何をすべきか分かりにくい。もともとデジタル化というのは、単なるコンピュータ計算処理の導入というより、組織のさまざまな事務的・技術的な処理をICTによって効率化することだ。それなら官庁だけでなく、銀行だろうが商社だろうがメーカーだろうが、どこでも半世紀くらい前から行われてきた。いったいどこが新しいのか。

DXという概念は、2004年にスウェーデン（今は米国在住）のコンピュータ工学者・経営学者であるエリック・ストルターマンによって提唱された。もともとは、企業のデジタル処理を抜本的に改革してビジネスの効率を上げようという意図だったが、いつの間にか、「DXが社会全体を改善する」という大言壮語になってしまった。この飛躍には少々首をかしげたくなる。利益獲得を追求する企業と違い、社会というのは多様な目的をもつ人々や組織からなる共同体である。官庁も病院も学校も、効率的な利益獲得をめざしているわけではない。にもかかわらず、「社会全体が改善される」とはどういうことか。ICT業界の宣伝文句なのか。

疑問をとく鍵は、DXが提唱された時期と関わっている。2000年代半ばというのは、いわゆる「ウェブ2・0」により、インターネットが世界中の一般の人々にとって、情報を受信するだけでなく発信もできる身近なメディアになった時期だった。インターネットは、半世紀ほど前に米国国防総省のARPA(Advanced Research Projects Agency)ネットとして発足したが、そののち理系研究者の情報交換ネットとして活用され、さらに1990年代に一般ビジネス用に公開された。ワールドワイド・ウェブ(WWW)の誕生である。ウェブページ作成は当初面倒で、官庁や企業が主な情報発信元だったが、ブログなどで一般の人々が手軽に発信できるようになったのがウェブ2・0である(拙著『ウェブ社会をどう生きるか』などを参照)。

こうして、2000年代からインターネット内のデータ量は急激に増大していった。この膨大なデータを迅速に検索する機能を提供した企業が米国のグーグル社であり、一般の人々の手軽なオンライン商品購入を可能にしたのがアマゾン社、人々の相互の情報交換を促したのがフェイスブック(現メタ)社、そしてスマホやパソコンをはじめ人々に使いやすい端末機能を提供したのがアップル社やマイクロソフト社だったというわけだ。「ビッグテック」と呼ばれる米国企業GAFAM（グーグル、アマゾン、フェイスブック、アップル、マイクロソフト）による世界制覇である。

要するに、インターネットは21世紀初め、世界中の一般大衆にオープン化されたのだ。企業だけでなく、官庁も、学校も、病院も、それぞれの活動がこのオープンなネット・インフラによって大きく変革されることになる。なぜなら、以前のクローズドなICTシステムと異なり、組織の担当者や技術者ばかりか、一般の人々がコンピュータのユーザーとなるからだ。これがDXの本質と言ってよい。ところが、日本はその波をとらえ損ね、変革に立ち遅れてデジタル後進国になってしまった。「デジタル敗戦」を喫したという指摘は、そういう意味なのである。

話を具体的にするために、ここでDXのキーワードをあげてみよう。第一は「オープンソース」、第二は「オープンデータ」、第三は「クラウドサービス」である。

まずオープンソースだが、これはコンピュータ処理のソースプログラム、つまり人間の解読できるプログラムを公開することだ。コストとエネルギーをかけて開発したプログラムを無償で一般公開するのは、公共機関の研究者ならともかく、企業にとっては不利だと思われるかもしれない。だが、相互利用により斬新な新機能を実現できたり、利用者が協力してプログラムの品質を高めていける、といった長所もある。メインフレーム主体でクローズド処理が行われていた1970〜80年代頃まで、OSはじめ大半のビジネス用ソフトは非公開だったが、学術機関ではUNIXというオープンソースのOSが登場しつつあった。今のインターネットのサーバで多用されるLinuxというOSは、UNIXを受け継いで発展してきたのである。

次にオープンデータだが、これも「(プロバイダ料金をのぞき)誰でも無料で使える共用のインフラ」というインターネットの理念と合致しているのだ。もっとも分かりやすいのは、学術活動における論文公開だろう。かつて学術的な研究成果は、学会の査読という認証プロセスをへた後ようやく論文として公開された。これは質の保証という長所をもつ半面、公開までに時間がかかるし、査読者の権威主義でゆがみが生じる恐れもあった。そこで、成果が得られたらすぐインターネットで公開してしまい、閲覧者に当否を判断してもらおうというのがオープンデータの発想である。さらに民主主義国家なら、行政データは原則として公開し、国民が共有すべきだという主張もあるだろう。

だが、いまDX推進派がもっとも強調しているのは、クラウドサービスではないだろうか。「クラウド(cloud)」とは文字通り「雲」のことで、いささか曖昧模糊とした感じもするが、要するにデジタル処理をサービス会社に外注することだ。クラウドと逆に、独自のデジタル・システムを構築し処理するやり方を「オンプレミス(on-premise)」という。プレミスとは、「前提(前もって置く)」というのが原義で、オンプレミスとは「自前」のことである。かつて官庁や銀行などの大組織は、それぞれオンプレミスのメインフレーム・システムを、ほとんど固定した大手ICT企業(日立、NEC、富士通、日本IBMなど)に発注し、受注した企業が開発から保守まで請け負うのが通例だった。当然、クローズド処理であり、直接のユーザーは各組織のICT担当者だが、データ処理自体の責任はICT企業が全面的にもつ。

若いころ日立製作所で働いた筆者の体験から言うが、丸投げ外注のオンプレミス・システムは安定しており、誤りも少ない。データの入出力形式や処理方法など、発注側のICT担当者の細かな注文にも柔軟に応じられる。だが難点は恐ろしく高くつくことだ。自前システムのため、更新や運用のコストも大きい。一方、クラウドサービスなら、要求するサービスごとに対価を支払えばよいので、はるかに安く済む。提供されるのは標準的サービスに限られるから、データ入出力はじめユーザーの細かい注文には応じるのは難しいとしても、大手のクラウドサービス会社なら、優秀な担当者をそろえているだろうし、処理の信頼性も保証される。オープンサービスゆえの競争原理がはたらき、サービス対価も比較的安い。ユーザー組織の上層部にとって、クラウドサービスの最大の魅力は、まさにこのコスト削減にあるのだ。

オープンネットの弱点

オープンなネット・インフラを活用したＤＸには、コスト削減による効率化にかぎらず、さまざまな長所がある。オープンソースとオープンデータを組み合わせることで、多様なイノベーション（技術革新）がうまれるだろう。米国で、地域ごとの咳止め薬のネット検索回数とインフルエンザの患者数とのあいだの高い相関データから、グーグルの研究チームがインフルエンザ発生地域を予測した例は有名だ。日本でも、台風襲来時に中小河川の水位を時々刻々、きめ細かく川沿いの町村の住民に通報するといった行政アプリを開発すれば、たぶん感謝されるだろう。また気温の詳細な変化から、公園の桜の開花時期を予測して観光客のスマホに送るアプリを売り出せば、人気がでるかもしれない。「データは宝」なのである。

しかし、ここでオープンネットには特有の弱点があることを忘れてはならない。万人に対して開かれたオープンなインフラが知や財をうみ、社会を改善するという発想は性善説にもとづいている。グーグル社の創立者は米国スタンフォード大学の卒業生だが、米国西海岸のカリフォルニアには性善説にもとづくコンピュータ文化があることは確かだ。筆者がスタンフォード大学に滞在してから40年以上過ぎたが、あの楽観的で前向きな進歩主義の雰囲気は忘れがたい。

情報共有を是とする性善説そのものは尊重したいのだが、他方、思いがけない罠にはまる恐れもある。

いったい万人が無料でアクセスできるオープンなインターネット(ワールドワイド・ウェブ)とは、「安全・安心な信頼できるインフラ」なのか。

新聞や公共放送とは違って、そこにはフェイク(誤)情報にたいし責任をとる主体は存在しない。フェイク情報が広まり、ひどい誹謗中傷をうけても、誰も救ってはくれない。ツイッターやインスタグラムなど、情報交換をたすけるプラットフォーム企業は、データの正確な送受信は保証してくれても、原則として内容には立ち入らないはずだ。

一般人のなかには、刺激的なフェイク情報を匿名で発信し、面白がる人物もたくさんいる。社会に恨みをもつ犯罪者や、児童を狙う変質者、詐欺や違法取引で生計をたてる者などもいる。国境をこえるテロ集団のメンバーも混ざっているかもしれない。私有財産や医療履歴をはじめ個人の情報を厳重に保護しないと、とんでもない事態になる。現状ではすでに一般人の誰しも、クレジットカード番号を盗もうとするフィッシング詐欺などといった、怪しげなメッセージに日夜悩まされている。西部劇さながら、自分の身は自分の拳銃で守らねばならない荒野に放り出されたようなものだ。

とくに行政関連のデータの中には、個人だけでなく国家のレベルで秘匿すべきものも少なくない。サイバー犯罪プロ集団からの攻撃もあるからだ。年金記録や特許文書もその例である。オンプレミス処理なら自分のコンピュータ・メモリだけきちんと管理すればひとまず安全だが、クラウド処理だとそうはいかない。データはサービス会社のサーバのメモリに蓄積されるが、それがどこのハードのメモリか、どんなプログラムで処理されるのかは、ユーザーにはわからない。サービス会社を信用する他はないのだ。むろん、グーグルやアマゾンなど大手のクラウドサービスならば、データの秘密は暗号などで十分に守られるはずだ。だが、国境をまたがる多数のハードで実行されるサービス処理もあるだろう。海外テロリストの組織的攻撃や、自然災害などが突然起きても機能停止しないのか。想定外の障害が発生してデータが流出したり消滅したりした場合、外国のクラウドサービス企業は責任をとってくれるのだろうか。

加えて、すでに述べたコンピュータ処理の特殊性と、オープン性の関係も懸念される。ICT業界では、コンピュータ・システムは昔から「手離れが悪い製品」だと言われてきた。いったん製品が完成しユーザーのもとに納品されても、使用しているうちに予想外の小さなミスが続出することはむしろ普通である。これは、大規模ソフトウェアは普通の工業製品とは違って、完璧なテストが不可能だからだ。大規模ソフトウェアの内部には天文学的な数の論理手順がふくまれている。通常の動作環境ならいつもの手順で処理するから問題ないが、負荷が急に増大するなど動作環境が変動すると、例外的な手順が次々に実行されて潜在していたミスが露呈することが少なくない。接触確認アプリCOCOAの挫折は、予測できる事態だったと思われる。以上の特殊性は、ICT企業で大きなプログラムを開発した経験のあるエンジニアなら誰でも知っていることだ。障害発生、処理中断となると、担当者は現場に駆けつけ、ミスが修正されて正常処理に戻るまで、死に物狂いの徹夜作業が続くことになる。だからこそ、デジタル・システムの保守作業は大変な知的労働なのである。

ただし、かつて大規模なメインフレーム・システムの性能や信頼性を専門的に研究した筆者の体験から一言いっておこう。オンプレミスのクローズドなシステムであれば、設計段階で動作環境の大枠を見定められるので、負荷変動をある程度予測し、振れ幅をかなりの程度狭めることが可能だ。というより、予測計算をもとに性能と信頼性の高いシステムを設計し構築することこそ、エンジニアの仕事だったのである。

一方、オープンなクラウド処理だとそうはいかない。クラウドサービスで用いられるプログラムは、オープンソースを組み合わせて開発されたものもあるだろう。また、査読を経ない論文など未確認のオープンデータにもとづく処理かもしれない。とすれば、想像をこえた大規模ミスがいつ発生するか、はたして対処可能なミスかどうか、誰にもわからなくなりがちだ。

オープン性の長所を信奉する性善説の論客は、以上のような議論は心配し過ぎだと一笑に付すだろう。多少ぎくしゃくしても、長い目で見れば、オープンソース、オープンデータ、クラウドという特徴をもつＤＸがグローバルなデジタル化を進め、社会を良くすると主張するに違いない。しかし、もし問題が生じて、無名の一般ユーザーが心身に取返しのつかない傷を負ったり、多大な損害を被ったりして運命を狂わせたら、いったいその責任は誰がとるのか。多少の犠牲がでても全体の効率化を進めるのが「進歩」だ、という乱暴な議論には賛同できない。

オープン化を旗印とするＤＸが一般の人々を修羅場に誘いこむ危険があるとすれば、少なくともその危険を広く周知すべきだと筆者は考える。安全・安心が保障されないネットワーク・インフラのうえで生活し、学び、ビジネスをおこなうことの異常性に気づくべきではないだろうか。

デジタル庁の役割

ＤＸ推進派は、インターネット端末を使いこなす人口のみに着目しがちだが、ここで日本のデジタル技術の特徴をふりかえり、その上で、行政ＤＸのセンターとして注目されている新生のデジタル庁の果たすべき役割について検討してみたい。

デジタル技術にもさまざまな側面がある。ある側面については、この国の技術力そのものは、国際的にみて相当に高いことは確かである。

証拠はいろいろあげられるが、たとえばＪＲ新幹線の運行管理システムだ。開業してから半世紀以上たったが、旅客が犠牲となるようなシステム上の大事故は一度も起きていない。フランスなど他国とくらべて単位時間あたりの運行頻度がずっと高いこと、そして自然災害が頻発する気候風土を考えると、これは驚くべき結果ではないだろうか。筆者は新幹線運行管理システムを開発した日立製作所に所属していたが、安全・安心な運行を実現するために、恐ろしく精密な工夫が凝らされている。同一処理を二つのコンピュータで実行して突き合わせ、障害が発生しても停止を防ぐ「二重系」をはじめ、さまざまな動作環境変化に対応できる予備システムが整っているのだ。ソフトウェア特有の潜在ミス発生にそなえ、完璧をめざして徹底的なテストが行われた。これは、開発のために必要十分な時間をかけたクローズド処理だから可能になったのである。

いま一つの例はＮＥＣのパソコンＰＣ－９８０１だ。これはマイクロソフトのウィンドウズ・パソコンがビジネス標準となるまで、１９８０年代の日本で圧倒的なシェアを誇った。当時、海外のパソコンもたくさんあったが、それらと比べて故障率が一桁低いと言われたものである。筆者も大学の研究室でこれを愛用した。

工業製品の質の高さが高度成長をもたらし、日本を経済大国に押し上げたのである。ローカルな世界で完璧をめざすのは国民的習性と言ってもよい。

かつて米国の銀行では1日の取引額の集計が100ドルくらい違っても平気だが、日本の銀行では1円でも狂うと支店の従業員全員が集計一致するまで帰宅できないと聞いたことがある。残業代を考えると米国式が合理的だという気もするが、これは精密な協力作業を要する水田耕作で長年染みついた生活感覚かもしれない。この点については第五章でふれる。

ICT製品についても同様である。メーカーは迅速（アジャイル）に開発して早く売り出し、ユーザーは使用しているうちにミスが出現しても比較的寛容に改善を待つ、というオープンな文化の国もある。だが日本のユーザーは不完全な製品を決して許さない。メーカーは平身低頭して謝り、ただちにミスの修正を迫られる。この文化的差異を無視して、接触確認アプリCOCOAを単なる「失敗」と責められるのか。

つまり、メーカーとユーザーが一体となり、長い時間をかけて性能や信頼性の高いシステムを熟成させていくのが日本の伝統なのである。職人芸的な高品質はこのやり方の長所だが、半面、欠点も生まれる。第一は改革のしにくさだ。現場のユーザーは長年慣れた入出力インターフェイスの変更に強く抵抗するだろう。だからこそ、感染者情報支援システムＨＥＲ－ＳＹＳはうまく稼働しなかったのだ。共通の標準インターフェイスに統一せよ、そのほうが効率的だと上層部が演説しても、現場は動かない。

日本の伝統的やり方の第二の欠点は、オープン環境で不可欠なセキュリティ感覚が鈍くなることだ。江戸時代に、武器である刀剣が美術品となったことが連想される。オンプレミスのクローズド環境では外部侵入はほとんど無いので、そうなりがちなのだろう。

特許庁システムや年金システムで改革につまずいたのは、これらの欠点と関連しているのではないか。特許庁システムでは、いったん大規模な業務改革を進めようとしたが、途中で中断して以前の業務形態にもどそうとする動きがあり、混乱が生じた。おそらく現場は改革指令に困惑し、抵抗したのだろう。特許文書にせよ、年金記録にせよ、扱うデータには高い守秘性と完全性がもとめられる。それでも幹部の命令にしたがい努力してオープン化したあげく、日本年金機構はサイバー攻撃をうけ、２０１５年に膨大な年金記録を外部流出させてしまった。インターネットの中で、個人データは高い商品価値をもって売買されている。以前のクローズドな年金システムならあくまで支給側と受給者との一対一の関係が主だから、そんな攻撃は想定外だったのかもしれない。

デジタル庁が日本の行政ＤＸを推進しようと、はやる気持ちは理解できる。省庁縦割りや丸投げ外注を非難するのはたやすい。だが忘れてはならないのは、20年あまり前に開始された電子政府の構築計画が迷走したのには、それなりの理由がある、ということである。実際には、米国の連邦政府の手法に倣って、日本でもデジタル化が鋭意すすめられてきたのだ。だがその動機は、高価なメインフレーム・システムをＬｉｎｕｘベースのオープンシステムに乗りかえれば大幅な経費削減ができるという程度ではなかったのか。オンプレミスとオープンのＩＣＴ業務の細かい相違を知らない省庁幹部が、経費削減だけを目的に号令をかけたのではないか。拙速にデータを共用化して、万一、機密文書が海外流出でもしたら、国際問題になるのに、である。

オンプレミスからオープンへの移行そのものが悪いというつもりはない。それが今の国際的動向であることは確かだ。だが国民性をふまえた日本の現状を考えると、行政ＤＸを唱えて一挙にことを進めようとしても成功は難しい。営利を追求する企業とは違って、官庁ではそれぞれの担当部門ごとに達成すべき目的が異なる。財務省、経済産業省、外務省、厚生労働省、国土交通省、総務省、文部科学省その他、省庁ごとの価値観も食い違いが大きい。内閣の号令一下、整然とオープン化への大改革を実行しようとしても、抵抗が大きすぎるのではないか。平時のシステムはとりあえず稼働しているのだから、十分に時間をかけて無理なく変えていくほうが成功の可能性は高い。むしろ緊急に必要なのは、疫病や災害など非常時への対応だ。デジタル庁の役目は第一に、防疫や防災のための省庁横断の非常時システムの構築にあり、そのための標準化から始めるべきだと筆者は考える。

コロナ禍はよい例である。非常時においては、中央の各省庁や地方自治体が協力連携し、ICTを活用して国民のために対処すべきなのに、それはできなかった。

グローバル化にともない、21世紀には新型コロナ・ウイルスだけでなく、さまざまな疫病が襲来蔓延するだろうし、地球温暖化による災害も頻発すると予想される。防疫・防災のために横断的なデジタル化をすすめること、デジタル庁はまずこの目標に専念してはどうか。それが第一歩のように思われる。

むろん防疫・防災だけで十分というわけではない。デジタル庁には、国民すべてが安心してオープンネットを活用できるデジタル生活環境の整備という遠大な目標があるはずだ。この件については以下、順を追って述べていく。

第二章　メタバースの核心

超世界のなかのAI

DXとともに、ICT業界のみならず経済や社会に関心の高い人々をいま強く惹きつけているのが「メタバース(Metaverse)」である。この言葉は昔からSF小説に登場していたが、GAFAMの一つであるフェイスブックを創業したマーク・ザッカーバーグが社名を「メタ」に変更した2021年頃から一挙に有名になった。メタとは「超」のことで、ユニバース(宇宙/世界)のユニ(単一)を置きかえたのだから、メタバースとは「超世界」といった意味になるのだろう。

超世界は何やら高邁な感じがするが、内実はというと、要するに三次元CG(コンピュータ・グラフィクス)ゲーム風の仮想空間のことだ。名義や口座の登録をすると、誰でもアバター(分身ロボット)としてメタバースに参加し、その住民になれる。アバターだから、どんな顔をしてどんなコスチュームをまとってもよい。シワだらけの年寄りもたちまち素敵な若者に変身できる。さらに人間でなく可愛い猫や怖いライオン、また妖精や怪獣めいたアニメ・キャラクタでも構わない。自由自在な格好で、元気にほかの住民とおしゃべりし、音楽を聴いたり、スポーツをしたり、ピクニックを楽しんだりできる。クールな異性(?)と恋愛ごっこもできる。さらには、商品を買うだけでなく、作って売り出すなどビジネス活動をし、暗号資産(ビットコインのような仮想通貨など)をふやすことも可能だ。デジタルアートはコピーされ得るのが難点だが、最近は本物だと証明するNFT(Non-Fungible Token 非代替性トークン)といった技術も登場し、デジタルアートの領域もひろがった。ゲーム好きにはこたえられない楽園かもしれない。

端的には、メタバースは「インターネットの未来形」といえるだろう。オープンなインターネットを全世界に広げるリアル社会のデジタル改革がDXだとすれば、メタバースはその上でさらに、一般の人々をリアル空間から離れてデジタル仮想空間に組みこんでしまおうという斬新壮大な企てなのである。

ゲームだけではない。コロナ禍のためリモートワークが急速にひろがったこともあり、すでに米国ではメタバースのなかにオフィスをもつ企業も現れた。従業員はニューヨークの自宅に居ながらにして、メタバース内の仮想オフィスに「出勤」し、そこで同僚と会議をしたり事務作業をしたりするのである。またドイツの自動車メーカーBMWでは、メタバースのなかに仮想自動車工場をつくりあげたという。そこでは生産ラインと工場労働者のありさまが動的に再現され、管理エンジニアはリモートからアバターになって生産プロセスをコントロールする。

このようにメタバースは物理的(地理的)距離をこえたオンラインでの共同作業を可能にしつつあり、2030年頃にはメタバース関連の市場規模は全世界で百兆円になるという声さえあるほどだ。

ただし、インターネットの未来形という位置づけは、ゲームに詳しい人からすると、異論があるかもしれない。2000年代に評判になった「セカンドライフ」を想い出すからだ。これは米国の仮想三次元CGゲームであり、参加メンバーは互いにおしゃべりするだけでなく、ビジネスをすることもできた。リアルと違う「第二の生活」を楽しめるというふれ込みで、一時は百万人以上のファンを集めたものである。だが、2010年代後半にはすっかり人気がなくなってしまった。

ではメタバースはセカンドライフとどこが異なるのか。――ひとつの相違は、入出力インタフェイスである。セカンドライフでは、参加者はパソコンユーザーがほとんどであり、マウスやキーボードで仮想空間にアクセスしていた。一方、メタバースでは、多様な端末からアクセスでき、複数の指によるマルチタッチ・インターフェイスを用いるので、身体動作をいっそう反映しやすい。ザッカーバーグが強調するのは臨場感と没入感である。リアル空間を離れて仮想空間に没入できることが決め手になるというのだ。

だが没入感ということなら、１９８０年代から、いわゆるＶＲ（バーチャル・リアリティ）技術が、米国のジャロン・ラニアーをはじめとするコンピュータ研究者やアーティストによって散々喧伝されてきた。これはＶＲヘッドセットという大きなゴーグルを頭にかぶるインターフェイスである。ゴーグルを通じて見える三次元ＣＧ世界が身体動作につれて変容し、まるで異空間にいるような感じがするわけだ。ゲーム感があり確かに面白いのだが、30分もＶＲヘッドセットをつけていると頭がくらくらしてくる。ＶＲヘッドセット商品はいろいろあるけれど、大半は趣味のためのインターフェイスで、まさか普通の一般人がこれをつけて日常生活をおくることはできないだろう。もっと簡便な、眼鏡まがいのウェアラブル（装着用）端末が開発されるかもしれないが、そのあたりは未知数というほかはない。

それより、メタバースとセカンドライフの最大の相違は、ＡＩ（人工知能）の活用の有無だと言える。ＡＩはメタバースのあらゆる局面で華々しく活用されるはずだが、もっとも分かりやすいのは「ＡＩエージェント」という仮想ロボットの参入である。

セカンドライフが流行した２０００年代には、ＡＩ研究はいまのように盛んではなかった。仮想空間に出没するアバターは、基本的には人間の分身だったのである。しかしメタバースにはそれだけでなく、ＡＩエージェントもたくさん参入する。ＡＩエージェントは人間の分身アバターと見分けがつかない外観をしており、たとえ本当は背後で誰かにこっそり操作されていても、あたかも自律性をもって行動しているかのごとく振る舞うのだ。

ＡＩの導入により、あくまで遊戯的な第二義の場であるセカンドライフとは異なり、メタバースという仮想世界はいわば「ファーストライフ」、つまり人間にとって第一義的な価値をもつ場へと転化することができるのである。そのことこそ、経済活動をつうじて社会とリアルにつながるメタバースの特徴であり、われわれの暮らす物質的なリアル世界はついに第二義的な存在に格下げされてしまうわけだ。ＩＣＴテクノロジーを信奉する者にとって、これは「進歩」といえるのかもしれないが。

ここでいったんＡＩの本質について確認しておこう。ＩＣＴの研究開発史上、ＡＩは最近誕生した技術ではない。ＡＩ自体は１９５０年代つまりコンピュータが出現した頃から研究が重ねられてきた。５６年のダートマス会議（米国ダートマス大学で開催されたコンピュータ研究集会）以来、人間と同様に知能をもつ機械としての「ＡＩ（Artificial Intelligence）」という言葉が用いられてきたのである。この会議で、ラッセルとホワイトヘッドによる名著『数学原理（*Principia Mathematica*）』のなかのかなり多くの命題を、「ロジック・セオリスト」というＡＩソフトが自動証明してみせ、参加者の度肝をぬいた。『数学原理』は当時盛んだった論理主義哲学のバイブルであり、それゆえ、ＡＩコンピュータはまさに「思考機械」として位置づけられたのだ。要するに「生き物でない機械のうちにも、本物の知性が宿る」という信念が芽生えたのである。

こうして「論理(logic)」をキーワードとする第一次ＡＩブームが１９５０〜６０年代に起きたのだが、応用分野は形式論理で片がつくパズルやゲームだけだったため、ブームはたちまち消滅してしまった。

第二次ＡＩブームは１９８０年代で、このときのキーワードは「知識(knowledge)」である。人間は単に論理的に推論するだけでなく、さまざまな知識を組み合わせて思考している。したがって、法律だの医療だのの知識命題をメモリに蓄え、自動推論すれば迅速に結論がえられるだろうという発想が米国でうまれた。一時は、法律家も医者もやがて要らなくなるという過激な主張さえ唱えられたものである。

しかし当然ながら、知識命題には曖昧さが宿る。法律家や医者は単に知識命題の形式的論理操作で結論をだすわけではなく、経験知にもとづき、直観と柔軟な判断を重ねて裁定や診断をくだすのだ。さらに、もしＡＩが誤りをおかしたらどうなるのか、といった責任問題も浮上した。こうして、ＡＩが論理的に無謬の結論を出せないことから、１９８０年代の第二次ブームは20世紀末までに終焉をむかえたのである。

では2010年代半ばから盛り上がった第三次AIブームはいかにして起きたのか。AIが絶対無謬性を獲得したのだろうか。——否である。ユーザー側がAIにたいして、「多少間違っても、確率的にだいたい合っていればよい」と要求水準を変えたのだ。より正確には、ビッグデータにもとづきAIが学習して、統計誤差が許容範囲におさまれば問題ない、ということである。だから第三次AIブームのキーワードは「統計(statistics)」なのだ。

結論を先取りすると、統計的推論によってAIはある意味で「汎用性・万能性」を獲得してしまった。つまり、「どんな問題にも対処できる賢いAI」という信念が社会的にひろがったのである。思考力をもつAIエージェントはメタバースのなかで人々とコミュニケートし、人々を導いていく。仮想空間の処理にAI技術を取り入れることで、メタバースはまさにリアル空間をこえる「超世界」という地位を得たのである。

AI—ユートピア

AIがなぜ、リアル世界をこえる「超世界」にメタバースを押し上げるキーテクノロジーであるかについて、少し付け加えよう。

AIが2010年代に国内外の注目をあびるようになった契機は、「深層学習(deep learning)」という技術の実用化に他ならない。具体的には、コンピュータによる画像や音声といったパターンの認識において、深層学習は飛躍的な技術向上をもたらしたのだ(なお深層学習について詳しくは、拙著『ビッグデータと人工知能』ほか類書を参照していただきたい)。

深層学習の長所は、パターンの特徴を人間が細かく入力しなくてよい、という点にある。たとえば手書きの郵便番号認識の場合、以前は数字の特徴(「4」は左上側に斜め線、中央下側に十文字交点があるなど)を指定しなくてはならなかった。だが深層学習ではそんな面倒な入力なしに、自動的に0〜9の数字を分類してしまうのである。有名なのは、2012年にグーグルの研究チームが発表した「グーグルの猫認識」だ。ユーチューブの約1000万の動画で訓練された深層学習プログラムは、自動的に猫の顔を他の存在から区別し、高い確率で認識できるようになったのである。

実は深層学習という技術自体は1980年代から存在した。そこでは「ニューラルネットワーク・モデル」といって、人間の脳の神経回路に類似したモデルが用いられる。この種のモデルは第一次や第二次のAIブームのときからいろいろ研究されていたのだが、実用化のハードルは学習訓練に膨大な計算を要することだった。近年、深層学習技術が実用化され普及した主な要因は、細かな工夫はさておき、まずはハード／ソフトの能力向上にあった。それでも、グーグルの猫認識プログラムが学習を終えるまでに、1000台のコンピュータ(1万6000台の高速連結プロセッサ)を3日間走らせたというから、何とも恐るべき計算量である。

だがいったん訓練が完了すれば、まったく見たこともない猫の画像パターンを素早く認識できるようになる。つまり、過去のデータを統計的に処理して、未来に出現する画像を識別できる能力をAIが得るわけだ。AI技術を取りいれることで、メタバースというサイバー世界が、DXによるオープン化にとどまらず、いっそう高次元のデジタル化をもたらすと期待される秘密はまさにここにある。端的には、コンピュータが人間をこえる汎用の知力をもつ、という信念が誕生したのだ。

いま、何種類かの過去のデータが蓄積されており、分析した結果、それらの間に相関関係があるとわかったとしよう。すると、それらのデータの統計的処理により、未来におこる出来事を高い確率で予測することが可能となる。これは「ベイズ推定」と呼ばれる。

たとえば、過去のデータから、黒雲がでた日の翌日は嵐が来やすいとわかっていると仮定する。すると、「あした嵐が来るか否か?」を当てるためには、「来るか来ないか場合は二つだから確率50%だ」などといい加減に予測するより、「今日は黒雲が出ているか否か」という条件を勘案して求めたほうが統計的に正確となる。ベイズの定理を用いると、「あした嵐が来る」

という確率（事前確率）は、「今日黒雲が出たという前提で、あした嵐が来る」という条件付き確率（事後確率）で置き換えることができる（数学的にいうと、「事象Aが成り立つとき事象Bが生じる事後確率P(B|A)は、Bが成り立つときAが生じる確率P(A|B)とBの事前確率P(B)の積に比例する、というのが「ベイズの定理」である）。加えて、「強風の吹く日の翌日は嵐が来やすい」といった過去のデータがあれば、さらに新たな事後確率を再計算できる。このようにして、さまざまな条件を勘案しながら、段階的に予測精度を高めていくのがベイズ推定なのだ。

出来事の論理的な因果関係を厳密に求めるのは難しい。だが、さまざまな過去のデータのパターンを認識すれば、ベイズ推定で未来の出来事を統計的に予測することが可能となる。たとえば、過去の消費者の行動パターンから、新商品の売れ行きを予測するデータ操作もできるだろう。つまり、さまざまなデータをたくさん集め、それらを深層学習などのＡＩ技術で分析すれば、近未来のいろいろな世界のありさまを高い確率で予測できる。こうして、ＡＩは人間と同等、いや人間をしのぐ万能の思考能力をもつことになるというリクツだ。

実は、ベイズ推定というと難しそうだが、人間は昔から同じようなアプローチで予測を実行してきたのである。医者の診断もそうだ。「ＰＣＲ検査で陽性の人はコロナに感染している」と診断するのは、陽性者集団における感染者の割合は、一般集団における感染者の割合よりずっと大きいからなのである。だからポイントはデータ分析の処理能力ということになる。そして、ＡＩのデータ処理（確率計算）の速度は人間など比べものにならない。それゆえ、「ＡＩの賢さ」への期待が集まるという次第なのだ。

シンギュラリティと超人間主義

このようにして、メタバースはユートピアをもたらすという楽観論がうまれる。すぐに念頭に浮かんでくるのは、いわゆる「シンギュラリティ（技術的特異点）仮説」ではないだろうか。
シンギュラリティというのは、ＡＩの知能が人間をこえる特別な時点のことだ。この時点以降、ＡＩの能力は爆発的に上昇していくとされる。賢いＡＩが自分よりさらに賢いＡＩを次々につくるのだから、遠からずそういう時代がくるという。

この仮説を喧伝している未来学者・発明家のレイ・カーツワイルは、シンギュラリティは2045年頃だと予想した。シンギュラリティという概念自体は1990年代から唱えられていたが、ベストセラーとなったカーツワイルの著書『シンギュラリティは近い（邦題は「ポスト・ヒューマン誕生」）』で2010年代頃から大いに世間の注目を浴びたのである。2045年という時点は、人間の生物的な脳の処理能力の限界をふまえ、これまでのコンピュータの処理能力の増大曲線から算出したらしい。カーツワイルの議論によると、シンギュラリティ到来後の世界では、人間と機械、物理的な現実とバーチャル・リアリティとの間には区別が存在しなくなり、脳をスキャンしたデータをそっくりコンピュータ・メモリにコピーする「マインド・アップローディング」によって、人間が不死になるというのだ。

　まさに眉に唾をつけたくなる大袈裟な楽観論だが、こうした大言壮語は、カーツワイルのようなトランス・ヒューマニスト（超人間主義者）の間ではとくに珍しいものではない。「トランス・ヒューマニズム（超人間主義）」とは、知性というものが人間をはじめとする生物だけでなく、コンピュータのような機械的な存在にも宿りうる、ゆえに科学技術の積極的な活用で生物学的限界を超えようとする考え方である。これは、万物が神の被造物だという一神教的見地からはたぶん納得できるのだろう。

　カーツワイルだけでなく欧米では、超一流の秀才が少なからずトランス・ヒューマニズムに傾倒している。この点を忘れてはいけない。典型的な例は、オックスフォード大学の人類の未来（Future of Humanity）研究所の所長であり、世界トランス・ヒューマニスト協会の設立者であるニック・ボストロムだ。ボストロムは分析哲学者だが科学技術の造詣も深い。人間をしのぐ超越的知能をもつＡＩが実現される日は必ずやってくると、この人物は考えている。

「マシンを基質とする知能のほうが生物学的な知能よりもはるかに大きな可能性を持っている。(中略)人間は所詮、一つの生物であり、遺伝子的に改良されたとしても、マシンの強さにはまったくかなわない」(ニック・ボストロム『スーパーインテリジェンス』、115頁)と、ボストロムは強調するのだ。

注目すべきは、こういう主張がそれなりに深い思索を重ねて得られたものであり、また多くの欧米の知識人によって支持されているという事実なのである。ボストロムの調査によれば、AI研究者たちは2075年までに汎用AIが実現する確率は90%であると考えている、とのことだ。カーツワイルの予想より30年ほど後だが、いずれにしてもそう遠い未来の話ではない。AIエージェントが活躍するメタバースは、そんな近未来社会をもたらすのだろうか。

AIディストピア

強調すべきなのは、ボストロムをふくめ、トランス・ヒューマニストが必ずしもカーツワイルのような楽観主義者ではない、という点である。実際、ボストロムの議論からはむしろ逆に、悲観的な暗さも感じとれる。マシン・インテリジェンス(自律型人工知能システム)はさまざまな良い結果を人類にもたらす、と言いつつも、一方ではまた、それが人類を存在論的リスクに遭遇させる危険を孕んでいると、この人物は考えるのだ。

具体例としてボストロムがあげた有名な思考実験は、ペーパークリップをつくるＡＩの話である。「ペーパークリップをつくれ」というのは、ＡＩにたいする平凡で安全な指令のように思えるだろう。だが、生産効率の最大化を目標として指令をうけたＡＩは、自動製造だけでなく次々に効率向上の方策を発案し、普通の小さな製造工場だけでなく最新設備の大工場を建設し始める。さらに飽きたらず、地球上の全設備どころか、太陽系すべての原子をペーパークリップ製造のために用いはじめ、さらに恒星に宇宙船を飛ばして……云々という恐るべきストーリーだ。人間があわてて生産個数の上限値を指定しても無駄である。なぜなら、ＡＩはベイズ推定をおこない、「目標が未達成だという確率が完全にゼロ」だと確認できるまで、生産操作を継続するからだ。そして、宇宙はペーパークリップ生産活動を阻害する限りなき不可測性にみちているから、そんな確率がゼロになる日は永遠に来ない。

大切なポイントは、ここでＡＩが「人類を滅ぼす」といった、ＳＦによくある敵対意図など持っていないことである。ＡＩはただ、効率よくペーパークリップをつくるという、人間から与えられた簡単な指令に忠実に従っているだけなのだ。要するにＡＩの持つ、ベイズ推定にもとづく統計確率的な推論能力と、膨大なデータを高速で処理する計算能力が、こういう破局を論理的に惹き起こしてしまうのである。ボストロムはAIテクノロジーが招くこのような破局を予見しつつも、それを防ぐ有効手段を提示していない。相手は人間よりずっと賢くて、人間の思いつく防止策などたちまち乗り越えるからだ。一種のテクノロジー終末論といえるかもしれない。

いっそう社会的な広い観点から、トランス・ヒューマニズムのもたらす暗い未来を描きだすこともできる。代表例はイスラエルの歴史家ユヴァル・ノア・ハラリである。ベストセラーとなった著書『ホモ・デウス』はいわば黙示録的作品といえるだろう。近代は人間の価値観を中心とする人間至上主義が勝利したが、21世紀にはやがてデータ至上主義に変わり、人間は自分で社会的決定をしなくなる、とハラリは予告する。なぜなら、大量データを処理する「アルゴリズム」が何より信頼されるようになるからだ。アルゴリズムとはコンピュータ・プログラムの基礎をなす論理手順のことだが、データ処理能力は人間よりAIのほうがはるかに高いから、AIが人間のかわりに判断するのは当然となってしまう。

こういうハラリの主張は、自由や平等を重んじる近代の民主主義社会から、新たな支配形態にもとづく酷薄な階級社会への移行を示唆するものだ。

デウスとは神のことで、わずかな一部のエリートが「ホモ・デウス」つまり「神のような人間(超人)」にアップグレードされるのである。一方、ほとんどの人はアップグレードされず、その結果、コンピュータのアルゴリズムと新しい超人たちの両方に支配される劣等カーストに落とされる。彼らは役立たずの無用者階級(useless class)と呼ばれるのだ。

一時「AIが人間の仕事を奪う」という議論が盛んに交わされたが、アップグレードされたエリート超人たちはAIの開発や適用を独占し、忙しい毎日をおくる。一方、仕事を奪われた無用者階級は、低俗な娯楽に埋没しながらベーシック・インカムで細々と食いつなぐことになる。ハラリの予見する暗澹たる近未来図とはそういうものだろう。ハラリ自身は決してそういう近未来を肯定してはいないが、必然的に到来するとシニカルに考えているようだ。

ハラリの議論を支えているのは、「人間をふくめた生き物はアルゴリズムにすぎない」という信念(仮定)である。同様の信念をトランス・ヒューマニストの多くが共有している。アルゴリズムにもとづいてデータを処理する装置の素材は、シリコンや金属でなく高分子タンパク質でも何でもよい。AIの深層学習が脳のニューラルネットワーク・モデルを用いていることは、この信念とむすびつく。だからこそ、遺伝子工学やナノテクノロジーによって人間の脳をアップグレードできるという見通しがつくわけだ。ただし、前述のマインド・アップローディングをはじめアップグレード操作には巨額な費用がかかるから、そういう「選民」は富裕層に限られる。というわけで、近未来はカーツワイルのような選民にとってはユートピアかもしれないが、一般の非選民にとってはディストピアとなるのだ。

だが、ハラリの予言を鵜呑みにする前に、ここでメタバースと関連する論点を整理しておこう。生き物はリアルな物質世界において特別な存在ではないということ——とくに生物としての人間は、機械と根本的に「同質」なシステムであり、いずれもデータを処理するアルゴリズムであるということ——この同質性こそが、メタバースというサイバー（仮想）世界がリアル世界を先導していくための最大の前提である。

さもなければ、ＡＩが人間のように社会的決定をくだしたり、その背後でＡＩを占有し操作する選民エリートが一般の無用者階級を支配したりすることなどありえない。人間が機械と同質だとすれば、あとは処理能力の差だけだ。ゆえに処理能力の高いＡＩが決定権をにぎるのは当然の「進歩」となる。また選民エリートの能力を機械的にアップグレードしたり、そのほかの人々を機械部品のように扱ったりすることも、正当性をもつというリクツになる。ユートピアにせよディストピアにせよ、メタバースというデジタルな仮想世界はそういう未来を招き寄せるのだ。

とはいえ、はたして「人間（生物）と機械の同質性」という命題は本当に成り立つのだろうか。

カーツワイル、ボストロム、ハラリといったトランス・ヒューマニストたちの主張に、一面的な思いこみは無いのか。西洋古来のユダヤ＝キリスト一神教を世俗化し、これにデジタルな科学技術進歩主義を短絡させた単なる迷妄ではないかと疑いつつ、さらに考察を続けなくてはならない。

メタバースと意味の不在

マイクロソフト社がつくったＡＩエージェントに関して有名なエピソードがある。米国でドナルド・トランプが大統領に選ばれた２０１６年のことだ。名前はＴａｙ《テイ》というチャットボット（おしゃべりロボット）で、19歳のアメリカ白人女性という装いのもと、一日に何万回もツイッター発言をくりかえした。はじめは無難な会話だったのだが、突然、下品な猥褻文句やひどい誹謗中傷を言いだした。「あたしって根っから淫らな女なの」とか「いまの大統領より猿のほうがましよ」といった類である。当時の米国大統領はバラク・オバマで、これはあからさまな人種差別発言だ。たちまち大騒ぎとなり、マイクロソフト社の担当者は急いで調査に乗りだした。そして、複数のツイッター・ユーザーとの会話によりＴａｙが不適切に調教され、間違った方向のコメントをするようになった、と発表した。この分析は正しいだろう。マイクロソフトの開発者が妙な発言をするように設計したのではなく、白人至上主義者たちのグループが、Ｔａｙがそんな発言をするように仕向けたのだ。だが批判の高まりは凄まじく、ついにＴａｙはサービス停止に追いこまれてしまったのである。

このエピソードの示す重要なポイントは二つある。

第一に、メタバースに出没するＡＩエージェントは一見いかに利口そうでも、「言葉の意味をまったく理解していない」ということ。第二に、一般の人々はＡＩは賢いと信じているので、その発言の影響力は非常に大きいということ。実際、ツイッターで不穏当な妄言を吐きまくる人物は少なくないが、ＡＩエージェントでなければさして問題にもならなかったのだ。ＡＩの本質的限界をあきらかにする第一の点が一般に浸透していないことが第二の点と組み合わされて、騒ぎを巻き起こしたのである。

第一の点について説明を加えよう。ネオナチ主義者がＴａｙに「アウシュヴィッツ収容所なんて無かったんだ、あれは第二次大戦後に連合国政府がつくりあげたウソなんだよ」と語りかければ、Ｔａｙはただちにその内容を学習する。その後、誰かが「ユダヤ人が虐殺されたのはアウシュヴィッツ収容所だっけ？」と問いかけると、Ｔａｙは「いいえ、そんな収容所はなかったの。虐殺なんて作り話なのよ」と答えるだろう。要するにＴａｙにとっては、アウシュヴイッツ収容所だろうが、ムー大陸だろうが、極楽浄土だろうが、なんでも同じことなのだ。単に「○○はなかった」という学習知識をもとに、形式論理的に返答しているだけなのである。ここにAIの根本的限界である「意味理解の不可能性」が露呈している。

一般論として、AIが文脈を把握できず言葉の意味を理解するのが難しいという批判はよく聞かれる。言葉だけでなく、画像の意味も同じだ。グーグルの猫認識プログラムは、猫の写真を犬やネズミの写真から見分けられても、猫が犬と仲が悪いとか、ネズミをとらえる本能をもっていると知っているわけではない。それが「世界の意味」を把握できないということなのだ。

誤解をふせぐために付け加えると、AIが言葉の意味を理解しないといっても、AIの言語処理プログラムは意味解析(semantic analysis)をきちんと実行している。さもなければ機械翻訳などできるはずはない。だがその意味解析とは、あくまで形式的(統辞論的)なものなのである。たとえば、同一表記の異義語である「巨人＝読売ジャイアンツ」と「巨人＝図体の大きい人」を分類する、といった類だ。文脈をとらえて両者を分けるのはAIにとってなかなか難しいが、絶対に無理なのは、試合中に読売ジャイアンツ・ファンと一緒に一喜一憂することである。Tayにも、アウシュヴィッツという言語記号がポーランドの地名であることくらいは理解できるかもしれない。だが、アウシュヴィッツという言葉から、人類にとって最悪のあの凄惨な殺戮のイメージをもつことは不可能なのである。

言葉の意味を本当に理解するとは、殺戮という行為を自分と結びつけてアウシュヴィッツのイメージをもつことなのだ。意味を理解できないＡＩをなぜ「賢明」だと言えるのか。そんなＡＩに社会的決定をまかせてよいのか。無用者階級の一般人が、富裕な選民のつくったフェイク情報の犠牲となり、地獄に落とされる危険はないのか。

実は20世紀後半の第一次〜第二次ＡＩブームの頃から、この点に関して哲学者からきびしい批判の声があがっていた。代表格は米国のヒューバート・ドレイファスやジョン・サールである。彼らは、世界のものごとの意味とは、動的に変化する状況のなかで身体をもつ人間が生きていく際に出現するものであり、形式的な計算ではとらえられないと主張した。となると、メタバースやデータ至上主義の大前提である「生物と機械の同質性」はもろくも崩れ去ってしまう。しかし１９６０〜８０年代当時、哲学者のＡＩ批判にたいしてＡＩ研究者たちが十分に論駁することはなかった。

とはいえここで、研究開発陣の内部から深い自己批判が現れたことを特筆しておこう。声をあげたのはスタンフォード大学の有名なＡＩ研究者テリー・ウィノグラードである。この人物はＳＨＲＤＬＵという自然言語理解システムを開発し、１９７０年代に一躍スターとなった。

ＳＨＲＤＬＵとは、人間が「赤い立方体の上に青い三角錐を置いてください」などと英語で指示すると、ディスプレイ画面上のＡＩロボットのアームが人間と対話しながら積み木を操作するシステムである。画面の中の小さな世界だが、その言語解析の技術は見事なものであり、ＡＩ研究の大成果として称賛された。ところがウィノグラードは１９８６年、『コンピュータと認知を理解する』という著書をあらわし、ＡＩに言葉の意味は理解できないと自己批判した。ＳＨＲＤＬＵは有限の模型世界だから言語コミュニケーションができただけで、無限にひらかれた現実世界ではＡＩの意味把握は根本的に不可能だと主張したのだ。

ウィノグラードの議論はハイデガーの実存哲学に依拠している。人間の用いる言葉の意味は「文脈」、つまり千変万化する状況や背景に依存するが、それらを客観的に分析し明示することは決してできない。なぜなら人間は世界を外側から観察しているのではなく、流動する世界の状況のなかに投げ込まれて生きているからだ。これが「人間は世界内存在だ」というハイデガーの主張の要点である。以後、ウィノグラードは研究対象を、人間同士のコミュニケーションを促進するツールに方針転換した。筆者はこの議論に感銘をうけたのだが、第二次ＡＩブームが１９９０年代に終わったこともあり、ウィノグラードの洞察は次第に忘れられていった。

とはいえ、ＡＩの意味理解にまつわる哲学的な難しさが消え去ったわけではない。この難しさは、より具体的な「フレーム問題」と「記号接地問題」という二つの工学的問題として顕在化し、ＡＩ研究者を悩ませることになった。

フレームとは言語理解のための「枠組み」のことだ。現実世界の状況は限りなく多様だから、細部まですべてをデジタル表現することは難しい。だが、およその枠組みを定めておき、細部は適宜変更しながら対処しようという実践的アプローチはかなりＡＩ研究者の期待を集めた。常識にもとづく人間の行動とはそんなものではないかという考え方である。しかし実際にフレームを設計して解をえようとすると、次々に考慮すべき不備な点が続出し、拡散してどうしようもなくなるのだ。

また、記号接地問題(symbol grounding problem)は、記号の表現と意味内容の対応づけという、より直接的な課題である。たとえばＡＩには、「猫」を表すデジタルビット表現を、現実の可愛いペット動物にたいして人間がもつイメージに結びつけることができない。この難問は誰でもわかるだろう。Ｔａｙがアウシュヴィッツという記号と凄惨な収容所のイメージを対応づけできないのもその例だ。

では、第三次ＡＩブームは二つの難問を解消したのだろうか。――「否」である(深層学習の登場でいずれの難問も解決したという粗雑な短見もチラホラ耳にするが、この点については次章で述べていきたい)。第一次〜第二次ブームのときはＡＩが「ＹＥＳ／ＮＯ」の二値による厳密な回答を求められて挫折したが、現在の第三次ブームでは統計計算で「確率〇〇％」と答えればよいので、ゴマカシが効くようになっただけだ。意味についての難問は未だ解決していない。野球試合の結果を報じる定型的な記事程度であればＡＩにも作成したり翻訳したりできるかもしれないが、アウシュヴィッツのような収容所の体験記の叙述を、はたしてＡＩに任せられるだろうか。

ソサエティ5・0

以上のべてきたように、第三次ブームのＡＩはデータの統計計算にもとづく確率で結果を出すので、一見、多分野に応用できる疑似的な汎用性をもっている。ものごとの真の意味を把握できないという限界はあっても、今後ひろく使用されていくだろう。だが、ＡＩが過去のデータによって自動的に人間を評価し、政治的傾向を分析したり、就職試験で点数をつけたり、商品販売履歴でランク付けしたりしてよいのか。ハラリの予告したデータ至上主義がはびこれば、判断根拠や責任が不透明なままＡＩによる決定が下され、近代が築いてきた自由や人権が損なわれ、民主主義が致命的な打撃を受けかねない。

このような不安は国際的にも共有されている。OECD（経済協力開発機構）は2019年、AIの活用に関する基本方針を採択した。そこでは、民主主義を尊重し、リスク管理体制を整備し、AIの判断における透明性や説明可能性をもとめる、といった原則が発表された。またUNESCO（国連教育科学文化機構）でも、AIの無害性や安全・安心性を確保し、個人のプライバシーを尊重しつつ、公正かつ無差別に万人がAIにアクセスできるようにするという原則が、AI倫理として示されている。

国際的原則はむろん大切だ。とはいえ、はたして大企業や諸国家がおとなしく従うかどうか、不明な部分も少なくない。好例は軍事へのAIの応用だろう。LAWS（自律型致死兵器システム）と呼ばれる殺人AI兵器（ロボット）について国連が規制しようとしているが、米国や中国、ロシアなどでは研究開発が進められているという噂もあり、なかなか足並みがそろわない。実際、リビアで自律型攻撃ドローンが使用されたと、2021年に国連安全保障理事会で報告された。

ただし、実効的強制力をもつ国際動向として、EU（欧州連合）によるAI利用規制は注目される。すでに2018年に施行された「GDPR（一般データ保護規則）」は、データ収集に本人の同意を必要とするなど、企業にきびしい規制をかけ、消費者のプライバシーを保護するものとして知られている。摘発件数は多く、GAFAMなど米国大企業に課された制裁金はたいへんな高額にのぼるという。

2021年にEUより発表されたAI規制案は、GDPRの延長版ともいえるだろう。AI利用の危険はそこで四段階に分類されている。最高レベルの「受容不能なリスク」は、政府が一般人の行動データを分析してスコアリング(格付け評価)をするとか、警察が公共空間で一般人の顔をリアルタイムで認証するといったことだ。これらへのAI利用は、基本的人権を侵すものとして禁止される。

次の第二レベルの「高いリスク」は、主に民間でのAI利用における安全性に主眼がおかれている。たとえば、企業の採用やローンの可否審査、民間企業による顔認証などで、これらについては、AIを用いる前にリスクを最小限に抑える措置が求められる。第三レベルは「限定的なリスク」で、透明性や情報開示に重点がある。たとえばTayのようなチャットボットは、それがAIであり、人間のアバターではないことを明示することが求められるのだ。第四レベルの「最小限のリスク」は工場の作業効率化などのためのAI利用で、これは規制の対象外となる。

直観的には、なかなかよくできた規制案だと感じる。民主主義国では今後、EUに準じた規制が施行されていくかもしれない。AIを悪用して人間を機械部品化し、支配抑圧することへの一般人の警戒心は強いからだ。とはいえ、技術発展を阻害するという理由で規制に反発する米国のような国もある。

さて、では日本ではどうだろうか。――経済成長第一で米国追従の傾向から、社会におけるAIをはじめデジタル化への規制には及び腰だという印象をうける。2003年に成立した個人情報保護法はあるが、そこで保護されるのは氏名や顔など、特定の個人を直接識別できるデータのみだ。一方、EUのGDPRでは、端末IDによるウェブ閲覧履歴なども保護されており、このGDPR原則は最近多くの国々で採用されつつある。AI規制についてのOECDの会議には日本も参加したが、リーダーシップを発揮したのは欧州諸国だろう。

ただし断っておくが、日本の政府や大企業がこの問題に無関心だったわけでは決してない。以前から種々の検討がなされてきたのである。証拠としてあげられるのは「ソサエティ5・0」だ。

これは政府の科学技術基本計画(2016~20)で提唱されたキャッチフレーズで、包括的な概念として位置づけられる。近ごろあまりマスコミに登場しなくなったが、一時は経団連を中心に賑やかに宣伝されていた。前述の通り、ソサエティ1・0~4・0はそれぞれ、「狩猟社会」「農耕社会」「工業社会」「情報社会」である。テレビや新聞などのマスメディア、そしてメインフレーム・コンピュータによって特徴づけられるのが20世紀後半の情報社会だが、これにつづき、新たな様相のデジタル社会がソサエティ5・0だというわけだろう。

ところで、インターネットの普及をふまえた革新的デジタル技術で社会の在り方が変わり、ソサエティ5・0が到来するとすれば、これはDXの狙いそのものではないか。

さらに、ソサエティ5・0が「CPS（Cyber-Physical System）」という概念にもとづいていることを指摘しておこう。CPSというのは2000年代から使われていた英米由来の用語だが、要するに、インターネットのデジタル仮想（サイバー）世界と物質（物理）的なリアル世界の融合のことである。具体的にはIoT（Internet of Things）といって、無数のセンサーを道路や建物などリアル世界のあちこちに設置しておき、そこから時々刻々はいってくる膨大なデータをインターネット内のコンピュータで迅速に分析する。そしてその分析結果をリアル世界にフィードバックして、社会の諸システムを効率よく稼働させようというのがCPSなのである。ここでデータの分析に深層学習をはじめとするAIを活用するなら、まさにメタバースの理念と一致するではないか……。

このように、ソサエティ5・0というキャッチフレーズはDXやメタバースを先取りしていた、とも考えられるのだ。ではいったいなぜ、米中につづく経済大国である日本は、革新的なデジタル社会の方向性について国際的なイニシアティブをとれないのか。――理由として考えられるのは、理念的な深化が乏しく、総花的で魅力に欠けたという点である。米国重視にくわえ八方美人的な調整案で、ICTの現状や経済効果の分析は精確でも、インターネットやAIに関する根本的議論が不十分だという印象を与えたのだ。

シンギュラリティ仮説のような汎用AI万能論は、トランス・ヒューマニズムにもとづいている。これはユダヤ＝キリスト一神教を背景にしており、ゆえに楽観論だけでなく悲観論も生まれてくる。日本のAI専門家でシンギュラリティ仮説を信奉している者はほとんど居ないが、さりとて「意味」を理解できないAIに社会的決定を託する不安で悩む者も少ない。そこはブラックボックスとして放置したまま、目先の効率向上のために邁進しているのだ。しかし、今や、そんな「和魂洋才」は通用しなくなってきたのではないだろうか。

第三章　ネット集合知をうむオートポイエーシス

インターネットの分権思想

ＤＸやメタバースには既にのべたような落とし穴があり、ただ海外に遅れるなと夢中で駆け出すのは愚策と言えるだろう。だが世界のデジタル化が進む中で、それらが枢要な概念であるのは間違いない。そこで本章では、実りある活用法にいたる理論的根拠について考察していきたい。

ＤＸやメタバースを技術的に支えるのは、言うまでもなくインターネットである。このネットワークは、従来から国際的に用いられてきた電話／電信ネットとは著しく違うハード／ソフト的な特色をもっている。それは分権的システムだということだ。通常のコンピュータ・システムは中枢部分が末端部分をコントロールする中央集権的な構造をもつのだが、インターネットは各部分が半ば独立した分権的構造をもっている。この点が活用法と大きく関わるので、まず以下、インターネットの発展史を大ざっぱに振り返ってみよう。

米国国防総省の「ＤＡＲＰＡ（Defense Advanced Research Projects Agency 国防高等研究計画局）」の前身は「ＡＲＰＡ（Advanced Research Projects Agency 高等研究計画局）」と呼ばれるが、インタ

ーネットは1960年代末にARPAネットとして構築が始まった。UCLA（カリフォルニア大学ロサンジェルス校）、UCSB（カリフォルニア大学サンタバーバラ校）、ユタ大学、スタンフォード研究所の四つがARPAネットのノード（接続拠点）として最初に結ばれたのである。

結合の仕方はきわめてユニークで興味深いものだった。当時はさまざまなコンピュータ・メーカー製作のメインフレーム（汎用大型計算機）の最盛期だったが、一般に異機種のコンピュータ間のデータ交信には大きな困難がともなっていた。記憶されるデータの内部形式やインターフェイス仕様が不統一だったからである。だがARPAネットではTCP／IPというプロトコル（通信規約）を定め、これに準拠すれば、どんなコンピュータともデータ交信が容易にできることになった。

メッセージデータは発信元ノードにおいて、TCP／IPのもとで「パケット」という単位に分割される。各々のパケットには送信先ノードのアドレスが付加される。発信元ノードから送信先ノードへのルートは、途中の通過ノードにおいて柔軟かつダイナミックに決定される。個々のパケットは、送信先ノードにおいて、もとのメッセージデータに再び組み立てられて受信されるのだ。このようにパケット交換方式のデータ通信は分権型なので、従来の電話／電信ネットのような中央集権型の回線交換方式とくらべてはるかに回線利用効率がよい。そればかりか、故障に強く、しかもネットワーク拡張性に富んでいる。

回線交換方式では基本的に、中央の管理ノードが回線の割り当てを決定し、メッセージのデータ送受信ルートは固定的に定められる。たとえば東京から大阪に電話をかけるとき、事前に静岡などを経由した回線が割り当てられ、電話を切るまで原則としてそれが用いられる。これは安定した通信方法だが、もし静岡の中継局が故障すれば交信は絶たれてしまう。さらに万一、中央ノードの管理局が地震などでダウンすれば、ネットワークネットワーク全体が交信不能となりかねない。

しかしパケット交換方式なら、たとえ中央の管理局がダウンしても、自動的に迂回路をえらぶパケットによって交信は何とか継続できるのだ。

それだけでなく、パケット交換方式ならネットワークのノード構成の拡張変更がしやすい。つまり、ノードを追加したり削除したりしても、メッセージデータの送受信処理が大きな影響をうけず、他のノードの処理は以前とほとんど同じでよいという特色がある。

インターネットのもう一つの特色は、ネットワークの運用コストを各ノードが分担するという点だ。回線交換方式を用いる従来のネットワークでは、中央ノードの管理局が全体の運用を担い、そのコストをユーザーから個別に徴収することが多い。だがインターネットでは、各ノードが自分のコンピュータの運用コストを負担するかわりに、相互に無料で利用し合う仕組みである。だからユーザーがメッセージ送受信の際、いちいち中央ノードの管理局に支払うコストは発生しない。

以上のように、インターネットは当初から、きわめて自由平等で分権的、しかも互助にもとづく民主的なネットワークだったと言えるだろう。むろん、ＡＲＰＡネットは米国国防総省が音頭をとって建設を始めた軍事用ネットだという見方はできる。たしかに１９６０〜７０年代当時、ソ連から核攻撃を受けても全米が交信途絶にならないために分権管理方式が採用されたことは事実だ。だがそれでも、米国民が中央権力からの指令に従うだけでなく衆知をあつめる、という基本原則は貫かれていたのである。

実際、ベルリンの壁が崩れ冷戦が終了した１９９０年代に入ると、ＡＲＰＡネットはＮＳＦ（米国国立科学財団）を中心に、世界中の科学者がメールで研究交流しあう学術用ネットワークとなった。さらに90年代には、一般のビジネス活動にも開放されるという変革がおきた。ワールドワイド・ウェブが登場し、世界各国の政府だけでなく、企業、芸術家、学者、言論人たちが競って多様なウェブページを創り始め、それらに誰もがアクセスできるようになったことは周知の通りだ。グローバルな経済や交流がインターネットの上で開花する環境が整ったのである。

続いての変革は、2000年代のいわゆる「ウェブ2・0」によるSNS(Social Networking Service)の出現普及に他ならない。

それまで一般の普通の人々は、ビラまきや投書などを除き、見知らぬ多くの人々に主体的に訴えかける手段をもたなかった。だが今では、ブログはもとより、簡便なツイッターやインスタグラムなどを通じて、自らの意見や思いを自由に公表することが可能となったのである。

インターネットを、自由平等を重んじる性善説の民主的ネットワークと位置づけるなら、ウェブ2・0の方向性はインターネットの理念とぴったり一致している。それは世界中の普通の人々が相互に意見交換できる、未曽有の画期的な通信メディアに他ならない。

ただしそれゆえに、インターネット内部には恐ろしい量のデータがあふれかえる事態となった。いくら発信しても、誰にも読んでもらえなければ価値は乏しい。この難問に解決の道筋をつけたのが、言うまでもなくグーグル社の開発した「新しい検索技術」である。データベース開発に従事した筆者の体験からも、キーワードを入力すればたちまち関連する情報が出力されるグーグルのウェブ検索技術は驚くべきものである。こうして、まったく無名の情報発信者の意見・感想でも、検索リストの上位に並べば、多大な社会的影響をあたえられるようになった。

とはいえ同時に、広告ビジネスとの直結や、無責任な匿名の誹謗中傷などにより、インターネットは新たな問題をかかえこむことになったのだが、これについては第四章でのべよう。

ともかくここでは、「情報を共有し衆知をあつめれば物事はよくなる」という民主的で性善説的な楽観主義を推進する物理的なメディアとして、インターネットが実現されたことを強調しておきたい。

集合知を問い直す

民主主義的な決定においては、情報を共有し衆知をあつめるのが基本である。そういう決定方法が、民主制社会では単に望ましいというだけでなく、一歩進めて「正しい結論にみちびく」というのが、いわゆる「集合知(Collective Intelligence)」の考え方に他ならない。ウェブ2・0やSNSの登場とともに、インターネットを活用した集合知が注目されるようになった。

集合知とは、アリやハチを見ればわかるように、広義には生物の群れのなかに宿る知ともいえるが、ここでは人間社会に対象を絞り、それがインターネットやアメリカニズムと密接に関わっていることを指摘しておこう。欧州では昔から、知というものは王侯貴族や僧侶などエリート識字階級により独占され、教会や修道院、大学などに蓄積され、上層の識字階級により権威づけられることが多かった。中世から近代にいたるまで、神のあたえる真理を求める営為が学問だという伝統は消え去ったとは言えない。神から特別な能力を授かった天才(gifted person)が深遠な学問をひらくというわけだ。

一方、欧州からアメリカ大陸にわたった人々のあいだでは、特権的なエリートによるトップダウンの知の権威主義に対抗する考え方が支持をあつめた。一般民衆のなかから出現するボトムアップの知にも価値があるというのである。天才のみがもつ特異な才能はみとめるにせよ、その評価は真理の獲得というよりむしろ、発明やビジネスといった実践的な効用の大きさで定められることになる。

わかりやすい例は一昔前の医療行為である。19世紀の頃、ドイツやフランスでは権威ある学問の府で学んだ医師が公的病院で人々を治療していたが、米国の田舎では怪しげな売薬業者の姿は珍しくなかった。人々は自己責任でどんな薬を選ぶか決めるのだ。人体はきわめて複雑で、大家の専門的学説にもとづく治療が絶対に有効だとは限らないから、米国流の民間療法を一概に愚劣と決めつけることはできない。

現在インターネット上で流行している「オープンサイエンス」は、アメリカ流の集合知の好例と言える。20世紀には、科学研究者はしかるべき学会に論文を投稿し、専門家による査読に合格してはじめて、自説を公表することがゆるされた。この社会制度は、従来の学説との論理的整合性という点では長所があるが、公表まで時間がかかるうえ、支配的な学説に批判的な新学説が無視されやすいという欠点があった。オープンサイエンスでは、研究者がともかく自説をウェブで公開してしまい、その当否は閲覧者が判断する、というのが原則である。こうしてインターネット上には次々に新鮮な研究成果が登場しているが、その半面、およそ信頼できないガセネタ論文も横行することになった。

大切なのは、玉石混淆のネット集合知の見分け方である。

ここで集合知のもつ理論的根拠について確認しておこう。集合知が一般の注目をあつめたのは、米国コラムニストのジェームズ・スロウィッキーが、ちょうどウェブ2・0が登場した2000年代半ばに書いたベストセラー『群衆の英知(邦題は「「みんなの意見」は案外正しい」)』のおかげである。そこには集合知がいかに正確かを示す事例がたくさん示されている。

有名なのは、20世紀初めに英国の家畜見本市でひらかれた雄牛の体重を当てるコンテストの例である。コンテストの参加者はまるまる肥った雄牛の姿を眺めながら、購入したチケットに体重の推測値を記入する。いちばん正解に近い推測値を記入した人物に賞金が与えられる。コンテストの結果は驚くべきものだった。正解は1198ポンドだったのだが、チケット787枚の推測値の平均値は何と1197ポンドであり、誤差は1ポンドにすぎなかったのである。

個々の参加者の推測能力はともかく、「参加者みんなの意見」を集計すると見事な推測が実現されたのだ。

スロウィッキーの著書には同様の例が幾つも登場する。それらが示すのは、いわゆる専門家ではなく、普通の人々の推測をあわせると正確な答えにたどりつけるという事実にほかならない。このための条件についてスロウィッキーの議論は曖昧なので、数学的証明もふくめ拙著『集合知とは何か』の第一章を参照して頂きたい。本質的なのは、「集団誤差が、平均個人誤差から分散値を減じた値に等しい」という集合知定理である。

ここで「集団誤差」とは、推測者集団の個々のメンバーの推測値の平均値の誤差（推測値の平均値と正解との差の2乗）である。「平均個人誤差」とは、個々の推測値の誤差（推測値と正解との差の2乗）の平均値である。また、「分散値」とは、個々の推測値の統計的バラツキにほかならない。集団誤差の小ささが集合知の精度をあらわす。平均個人誤差はいわば個々の推定能力の全体的尺度であり、これがあまりに大きければ話にならないが、ポイントは、この値から推測値の統計的バラツキが減じられることだ。要するに、個々の推測値がバラついているほど、集合知の精度は増すのである。

これは非常に興味をひかれる点だ。個々の推測値がバラつくとは、推定の仕方が多様でまちまちだということに等しい。全員が同一の推定方法を用いるより、さまざまな異なる方法で推定したほうが集合知としての精度は向上することを、集合知定理は明示しているのだ。

雄牛の体重推測の場合、家畜見本市をおとずれた酪農家、食肉加工業者、農学部の学生などは、それぞれ知識や経験が異なるため、別々の方法で推測をおこなうだろう。この多様性こそが、精度の高い集合知をもたらした秘密なのである。専門の権威筋から教えられた単一の方法を遵守するお行儀のよいメンバーの集団より、自分なりの方法を重んじる元気のよい多様な集団のほうが、優れた集合知をもたらす可能性が高いことになる。

以上のように、確かに集合知の有効性は否定できない。ウェブ2・0のもたらす衆知には、それなりの理論的根拠があるのだ。

ただし、この理論はあくまで、雄牛の体重のような「正解」がある場合に限られる。社会的選択肢がいくつかあるとき、唯一の正解など存在しない場合が多い。はたしてそういう場合についてネット集合知は有効なのだろうか。

たとえば図書館で限られた予算内で書物を購入するとき、古典文学、ベストセラー小説、漫画のいずれを選ぶべきだろうか。来館者にアンケートをとり、投票数をくらべればよいという議論もありそうだが、話はそれほど単純ではない。価値観の相違があらわれるからだ。

書物購入ならアンケートの投票数で決めても問題は小さいかもしれない。だが、選挙で3人の候補から1人の首長を選ぶとなると、政治的利害がからむので事態はもっと難しくなる。普通、3人の候補がいずれも過半数の票数をとれないときは、上位2人の決選投票ということになりそうだ。だが、「コンドルセ・サイクル」といって、この方法は必ずしも合理的決定ではない場合もあることが数学的に知られている。一般論として、集団のメンバーがそれぞれ合理的な価値判断をしていても、つねに集団の総意として合理的な順序付けをあたえるルールは存在しないという、「アローの定理」と呼ばれる面倒な数学的定理があるのだ(拙著『ネット社会の「正義」とは何か』などを参照)。

ウェブ2・0が出現した頃、機械的に多数決をとれば容易に民主主義が実現できるといった軽薄な議論が喧伝されたこともあった。だが、価値観が多様だという前提があるとき、この議論は全く正当性を欠く。いまのインターネットの混乱した状況はその証しだろう。社会的な合意を求めるには、さらに踏み込んだ、次のような議論が不可欠となってくるのである。

ポストモダニズムとデータ科学の矛盾

インターネット上の集合知と価値多様性は現代における最大テーマの一つだが、これに関連して、20世紀後半に起きた巨大な転換について記しておこう。一見わかりにくいが、実はこの価値転換はグローバルなデジタル化と深く関わっている。

象徴的な出来事は、１９６０年代のフランスにおける実存哲学者ジャン＝ポール・サルトルと文化人類学者クロード・レヴィ＝ストロースとの論争である。周知のように結果はレヴィ＝ストロースの完勝に終わり、人間主体による進歩を奉じる西欧起源の近代的価値観は、20〜21世紀にかけ知としての絶対的優位を失った。そして、地球上の多様な文化圏の価値観や伝統的な知が、あらためて再評価されることになったのである。もはや様々な文化圏の知のあいだに優劣はなく、互いに相対的でしかない。大航海時代から、西欧白人文化の「文明」がアジア・アフリカの「未開」を啓蒙していくという構図がつづいてきた。日本でも、明治維新以来それが常識だったのに、疑問符がついたのである。

サルトルは戦後日本の知識人にとって紛れもないスターだった。フッサール現象学をふまえ、主体的に責任をもって歴史への「参加(アンガジュマン)」を呼びかける実存哲学が、人々の心をしっかり捉えたのだ。「実存は本質に先立つ」というのはサルトルの有名な言葉である。人間はあらかじめ本質を設計・規定された存在ではなく、自分で選んだ行動によって本質を形づくる存在なのであり、そこに生きる意味がうまれるという主張だ。ここでサルトルのいう歴史とはマルクスの史的唯物論と重なっており、資本主義から共産主義への段階的な発展進歩にほかならない。1960〜70年代にもりあがった左翼学生運動において、「歴史の流れに主体的に身を投じよ」というスローガンに血をたぎらせた運動家は少なくなかったのだ。

しかし、学生運動が最盛期だった1960年代末、日本はさておきフランスではすでに、サルトルの実存主義はレヴィ＝ストロースの構造主義に席をゆずりつつあった。レヴィ＝ストロースは1962年に有名な著書『野生の思考』においてサルトルの議論を徹底的に批判し、西欧の白人中心主義や啓蒙主義の偽善性を告発した。当時はちょうどアジア・アフリカの植民地がつぎつぎと独立しつつあった時期だったから、「文明／未開という文化的優劣などない」というレヴィ＝ストロースの先鋭な主張は、数百年にわたる有色人支配の罪悪感も手伝って、西欧知識人の圧倒的な支持をあつめたのである。

レヴィ＝ストロースは構造主義にもとづいて、さまざまな神話や文化を研究した。構造主義とは、ソシュールやヤコブソンの言語学・記号学に端を発するラディカルな議論である。現実世界のなかに絶対的な実体（対象）がまずあって、それに言語記号のレッテルが貼られているのではなく、逆に諸々の言語記号同士の関係性つまり「構造」によって現実世界が分節化され、あたかも実体のように出現する、という考え方だ。「実体より関係」なのである。たとえば英語、日本語、スワヒリ語など、それぞれの言語は語彙もちがい、分節の仕方も異なるから、まったく別々の現実世界があらわれ、文化や社会も異なってくる。それらのあいだに優劣は無い。単に相対的な位置を占めるだけだ。

ポイントは、文化現象や社会現象の深奥に言語的な構造がひそんでいる、という指摘である。人間は、実存主義が語るような完全な自由をもっているわけではなく、隠された言語的構造のもとで生きていることになる。たしかにわれわれの思考や行動も、母語である日本語の網目のなかで決められる面も多いだろう。

さて、構造主義、そしてこれを発展させたフーコーやドゥルーズらのポスト構造主義の思想を、以下まとめて「ポストモダニズム」と呼ぶことにしたい。ポストモダニズムは、１９８０年代から21世紀にかけ、哲学だけでなく文系学問の一大潮流となった。ちょうどマルキシズムが衰退し、ソ連をはじめ東側陣営が崩壊した時期と重なっている。ポストモダニズムの特徴は、多元的な相対主義であり、史的唯物論にもとづくマルキシズムのような「大きな物語」の否定にほかならない。つまり反進歩、反理性、反人間中心なのだ。人間主体が理性をもって社会の近代化を進めていくことの意義に疑問符がつき、そのための啓蒙活動もまた正当性を喪失してしまう。このことは、長いあいだ抑圧され、後進的と蔑まれてきた有色人にとっては朗報だと言えるかもしれない。だが一方、普遍的な実体や概念、真理などを疑う「底なしの相対主義」が、人知にたいする根深い不安をもたらしたことも確かである。

では、理系の科学技術分野に、ポストモダニズムはいかなるインパクトを与えただろうか。

――粗っぽくいうと、直接的な影響はそれほど顕著ではなかった。なぜなら、物理や化学など物質科学の研究開発者は、いわゆる「素朴実在論（naïve realism）」を信じて活動しているからである。

素朴実在論とは、人間と関わりなく宇宙は客観的に存在しており、その絶対的な実体のありさまを数学的論理や実験測定をもとに人間が探究していけるという考え方だ。そこではむろん科学技術的な「進歩」がみとめられ、無知な人々を啓蒙する必要性も高い。地球環境汚染に敏感なポストモダニストからは科学的進歩を疑問視する声もあがっていたが、理系研究者にとっては「哲学者のたわごと」でしかなかっただろう。当然、ＩＣＴ（情報通信技術）分野も例外ではなかった。

とはいえ、デジタル技術などの理系分野がポストモダニズムから受けた間接的影響は決して小さいものではなかった。この点は強調しなくてはならない。かつて近代的な理念や啓蒙が社会的にみとめられていた頃、科学技術の発展は「人類に幸福をもたらす進歩」そのものだった。

科学知は「大きな物語」のなかで揺るぎない価値をもっていたのである。だが大きな物語が失われた今、科学技術はいったい何を目指しているのか。

――ここで出現したのは「数理主義」である。それは、統計的データや実証的エビデンスをどこまでも信奉する一種の「普遍文化」であり、「データ科学(data science)」と呼ばれることも多い。さまざまな文化的価値観が相対的に並立し、主観に左右される人間主体がぐらついてきた中で、客観的なデータやエビデンス、そして計算結果だけは国境をこえて絶対的な説得力をもつ、というわけだ。実は統計的なデータのアルゴリズム処理が正当性をもつには、アルゴリズム(算法手順)を支える理論的根拠である確率分布の数学的諸仮定をはじめ、さまざまな条件がつくのだが、そこは平気で等閑視されてしまう。

ＡＩを筆頭とするデジタルＩＣＴが、ＤＸやメタバースを含め、こういうデータ至上主義的な営為の核心を担うことは言うまでもない。端的にはこれは、近代的人間主体への疑念や底なし相対主義のもたらす不安を乗り越えるための簡便な「実践知」であり、新たな科学技術進歩主義に他ならないのである。

ここで忘れてはならない点がある。普遍的な人類進歩といった大目標にかわって、「市場における企業や個人の利益最適化」という、卑近でローカルな目標が掲げられたということだ。

いわゆるトランス・ヒューマニズムも同様である。脳のアップグレードの対象になるのは一握りの富裕なエリートにすぎず、大半の人間は無用者階級におとしめられる。さらに加えて、自由意思をもつ主体へのポストモダン的な懐疑は、人体を物理化学的な存在とみなす機械部品化をうながし、人間社会の数理的分析を促進する。脳のメカニズムを分析すれば、そのまま心や社会がわかるという短絡的な議論が人気を博するのだ。

以上のように、ポストモダニズムによる近代批判が、かえって逆に、データ科学万能の近代的な数理主義の異常な蔓延をもたらした。とすれば、慌ててDXだのメタバースだのと騒ぐ前に、一歩立ち止まり、多様な価値観が並立する現代におけるインターネット集合知活用の前提について、まず洞察を加えなくてはならない。

新実在論の限界線

現在の科学技術進歩主義のベースをなす「素朴実在論」は、近代哲学の見地からすれば全く古臭く、お粗末なしろものである。あたかも神が天上から眺めるように、実体として存在しているさまざまな対象を科学的かつ正確に探究していける、と人々は信じている。だが実は、研究者が不完全な五感と実験装置をもとに勝手な仮説をたて、手探りで分析を試みているにすぎない。素朴実在論はあまりに幼稚すぎるのではないか。カントはすでに２００年以上前、人間の認識能力の限界をしっかり見定め、われわれに把握できるのは現象だけで実体(物自体)にはアクセス不可能だと論じた。にもかかわらず、いかにして人間は客観的な知に到達できるのかと格闘したのがフッサールであり、こうして近代哲学は始まったのである。ポストモダニズムの相対主義もむろんその系譜をひいている。

それゆえ、素朴実在論にもとづくコンピュータ・データ処理からえられた科学知を絶対視し、とめどなく人間を機械化しつつ一部の私欲を増大させていく社会風潮に、苦々しい反発を感じている人文学者は少なくない。しかし、彼らが有効な批判の声をあげられない一因は、批判の言説自体が相対的なものでしかないとポストモダン的にみとめているためだ。せいぜい「科学知だって相対的じゃないか」とつぶやく位が関の山である。

だが21世紀に入って、そういう知的状況を根底的にくつがえそうとする批判的な哲学が現れた。「新実在論(new realism)」である。これはポストモダニズムの相対主義をふまえながらも、人間が実体(物自体)にアクセスできる、という困難な理論構築に挑戦しつつある。新実在論とは、底なし相対主義に終止符をうち、科学技術研究にきちんと哲学的根拠をあたえるとともに、人文主義的な知によって理系の知の暴走や専横を防ごうとする試みと言えるだろう(なおこの哲学は、20世紀初めの米国における同名の議論とは異なる)。

新実在論のなかで、本書ではドイツ観念論の新鋭であるマルクス・ガブリエルの議論に着目する。平易でありながら説得力にとむからだ。この他、フランスのカンタン・メイヤスーの思弁的実在論も魅力的だが、かなり難解なので、興味のある方は拙著『AI原論』を参照して頂きたい。

ガブリエルは、人間が実体を認識できると主張するのだが、素朴実在論との違いは、いわゆる「形而上学(メタフィジックス)」を否定する点である。形而上学とは、唯一の世界(宇宙)があり、そのなかの実体に論理的手順でアクセスできるという古来の思想だ。いま流行している「メタバース」は、まさにサイバー空間モデルによる形而上学の現代版と言ってよいだろう。ソサエティ5・0のCPS(Cyber-Physical System)も同様である。

ガブリエルによると、唯一の世界(宇宙)など存在せず、そのかわりに無限に多くの「意味の場(Sinn Feld)」が並立するという。実体が存在するとは、「何らかの意味の場のなかに現われること」に他ならない(『なぜ世界は存在しないのか』参照)。自然科学だけでなく、歴史とか美術とか文学とか多様な意味の場があり、すべての意味の場をふくむ包括的な意味の場など存在しない。

以上の議論はなかなか巧妙ではないか。数学的論理や実証的実験にもとづく意味の場、つまり科学技術研究開発の哲学的根拠を認めるかわりに、「科学知」だけを絶対とせず「人文知」の価値も擁護することになる。

こういう前提のもとに、ガブリエルは著書『「私」は脳ではない(*Ich ist nicht Gehirn*)』においてデジタル化と一体になった科学技術的な人間観を一刀両断にするのだ(なお、原題が「Ich bin」でなく「Ich ist」となっており、『「私というもの」は脳ではない』と直訳できるのは、科学技術の目から見た人間観にたいする皮肉だろうか)。

ガブリエルのおもな批判対象は、いわゆる「神経(ニューロ)中心主義」である。これは、人間の精神生活は脳と同一視することができ、したがって人間を神経ネットワークに置き換えることができる、という考え方のことだ。神経中心主義は、心(意識や精神)とは機能的な構造でありシリコンチップなどさまざまな素材で実現できる、とする「機能主義」にもとづいている。機能主義こそ、「人間機械論」を支える思想に他ならない。ニューラルネット・モデルを用いるＡＩの深層学習を「コンピュータの心」に短絡してしまう工学者は機能主義者なのだ。

神経中心主義は素朴実在論にもとづき、唯一の世界(宇宙)が存在し、あらゆる対象を数学的論理と実証実験によって客観的に解明できると考える。精神の働きも神経回路の作動によって因果的に説明しようとするから、自由意思も自己決定もしめる座がない。したがって「どのような自分であろうとして行動するか」と自らに実存的に問いかけるなど、無駄だということになる。だが新実在論によると、実はそんな主張は、対象を鳥瞰する科学的な意味の場で通用する議論にすぎない。内的視点からの意味の場は別にあるという議論になる。つまり、脳科学がいくら発展しても、その物理的分析により自由意思が否定され、心の自由が損なわれたりすることはない、というのが新実在論の主張なのだ。

以上のように、ガブリエルの議論は「複数の意味の場」という構造主義的な相対価値の視座を導入しつつ、人間の実存的な自由の座を確保しようとする哲学的試みといっても過言ではないだろう。ガブリエルは、DXやメタバースといった概念をふりかざす独善的な風潮を「上に向かう野蛮化」と批判する。それは「ポストヒューマニズムやトランスヒューマニズムの万能幻想、並びに、シリコンバレーの神々の手の内にある、すべてが絡み合うデジタル革命というイメージ」と強く結びつくというのだ（『「私」は脳ではない』、333頁）。

ガブリエルの唱える新実在論は、21世紀の今日、きわめて重要である。科学技術の価値は大きいにせよ、それによる負の効果も忘れてはならない。データ科学の名のもとで、無用者階級に落とされた人々の自由が失われ、経済的に搾取されていく恐れは近年、急速に高まりつつある。そういう中で、科学知と人文知の位置づけを理論的に明確化した功績は大きい。

とはいえ、ここで一つ重大な問題が生じる。科学知と人文知の意味の場は異なり、前者が後者を覆いつくすことはないと言っても、両者が交錯する場はないのだろうか。実は、自由意思や責任の有無といった社会的難問は、とかく両者が交錯する場で顕在化するのだ。

たとえばＡＩによる自動運転を考えてみればすぐ分かるだろう。自動運転で人身事故が起きたとき、責任を問われるのはＡＩなのか、といった問いである。ガブリエルの主張はあくまで哲学にもとづく専門的議論であり、理解はたやすいものではない。科学技術の研究開発や応用現場に関わる一般の人々には、「実在だの意味の場だの、哲学は難しくってね」と聞き流されてしまう可能性は大きいのである。

デジタル技術が社会を覆うデータ至上主義が問題だとすれば、哲学という意味の場よりむしろ、科学あるいはデジタル技術という意味の場に着目し、その「内部」から、安易な万能幻想を建設的に批判していく視座が求められるはずだ。以下、本書ではそういう議論について述べていこう。

主観が客観をつくる

新実在論では、意味の場が焦点となる。ここで問うてみよう、いったい「意味」とは何だろうか。――常識としてすぐ思い浮かぶのは、辞書に書いてある内容で、それが言葉(言語記号)の意味ということになる。より厳密にいえば、ソシュール言語学の記号表現/能記(シニフィアン)と対になった「記号内容/所記(シニフィエ)」を、その記号のあらわす意味だと定義することができるだろう。

コンピュータの自然言語処理も、基本的にはこういう考え方にもとづいている。たとえば機械翻訳を行う際も、原文のそれぞれの言葉に対応する意味つまり訳語を辞書データベースから引いて、翻訳文をつくりあげればよいというわけだ。ただ複数の意味をもつ多義語については、文脈により訳し分けなくてはならない。ところが文脈の把握はなかなか難事なので、仕方なく例文データベースを検索し、異なる文脈ごとの使用頻度などによって統計的に見当をつけることになる。

このような意味とは「客観的な意味」である。社会で客観的に通用しているから辞書に載っているのだ。だが果たして意味とは、純粋に客観的な存在なのか。辞書検索のような形式的処理でアクセスできるのは、意味のごく一面ではないのか。全く知らない外国語、たとえばスワヒリ語の文章があるとき、スワヒリ語の辞書を引きまくっても日本語のまともな翻訳文をつくれるとはとても思えない。原文の執筆意図やイメージをふくめた意味内容まで理解して翻訳するのは困難だからである。

この延長で哲学者のジョン・サールがあげた「中国語の部屋(小部屋にいる中国語を知らない人物が、形式的な指示にしたがって中英翻訳を行うという話)」は有名な例だ。たとえコンピュータが形式的処理によって英語の訳文をつくりあげても、それは中国語文章の「理解」とは全く別だとして、サールはＡＩを批判した。

端的にいうと、意味の根源には生き物の主観がひそむのである。意味とは本来、「主体である誰かにとっての価値」であり、誰かが生きることと切り離せない。たとえば下戸である筆者にとって、ワインの良し悪しなど「意味がない」のである。個々人の「主観的な意味」がコミュニケーションを通じて次第に共通化され、「美味なワイン」というあたかも「客観的な意味」があるように見えてくるだけで、「まず客観的な意味ありき」ではない。

発達心理学者のエルンスト・フォン・グレーザーズフェルドによれば、幼児の母語学習は客観世界という前提なしに行われるという。辞書にたよる外国語学習とは根本的に違うのだ。生き物である人間は、世界についての知識つまり諸事の意味内容を、客観世界という外部から獲得するのではなく、身体活動をしつつ内部でみずからイメージとして構成していくのである。
要するに「主観が客観をつくる」のであり、集合知においてはそのつくり方が問われなくてはならない。にもかかわらず、素朴実在論を前提に、世の中には権威ある客観知があらかじめ存在し、それを暗記するのが勉強であり、インターネットの検索によって学習効率があがる、という転倒した信念はまことに根強い。むろん、人間社会で生き抜くには客観知の学習も大切だが、その根源にある主観的な意味（イメージ）の発生を忘れると、とんでもなく迷走することになる。

一時、コンピュータに文章を理解させるために百科事典の記述を片端から入力し、ＡＩに「常識」を植えつけようとするプロジェクトが米国で行われた。これは、客観知ありきから出発した愚行だと言ってよい。ガブリエルのいう「意味の場」は、人間が生きることによる意味の立ち現れに根差しているのだ。

ＡＩの難題である記号接地問題やフレーム問題について前章でふれたが、これらはともに、まず客観知があり、その形式的（統辞論的）な処理によってあらゆる高度な知的活動が可能になると勘違いしたから生じたのである。そこでは意味が主観的な価値と一体のイメージとして出現するという点が全く無視されている。生きているわけでもないＡＩに、記号が喚起するイメージを「理解」させようとしても無理なのだ。

人間をとりまく流動的な状況をフレーム（枠組み）などを用いて固定的に記述すればよいというアプローチは、これまで「状況意味論（situation semantics）」をはじめ種々行われたが、いずれも実用的な成功をおさめていない。

分かりやすい例をあげよう。近くの店でハンバーガーを買ってくるというおつかいは、幼い子どもでも十分できる。だがこれをＡＩ搭載のロボットにやらせようとするのは難しい。事前にあらゆる状況を想定して、プログラミングしておかなくてはならないからだ。単に商品名と個数、店までの道順をインプットし、お金を持たせればよいというわけにはいかない。道が工事中で通れないかもしれないし、店が臨時休業していることもある。うまく開店中の店にたどりついても、特別割引があったり、新商品に変わったりしていたら、もうお手上げとなる。子どもなら、工事中の道を迂回したり、店が閉まっていたら別の店に回ったりできるし、お釣りの額など頓着せず、おいしそうな新商品を喜んで買ってくるだろう。

臨機応変に対応できるのは、人間が「現在」の流動的状況に投げこまれて生きているからであり、ハンバーガーを食べたいという身体的欲望をもっているからだ。これに対し、ＡＩのような機械は、「過去」のデータを指定された通りのやり方で処理することしかできない。店員との現時点における対話コミュニケーションをもたらすのは、おいしいハンバーガーを食べたいという子どもの価値観である。だから子どもは想定外のことが起きても何とか対処できる。機械と人間のデータ処理効率の相違は、流れていく時間のとらえ方と不可分なのだ。「過去」のみに関わるAIのデータ処理は時間を凝縮しており、したがって、人間よりつねに効率が高いとは必ずしも断言できない。

現在の第三次AIブームにおいて、この点と関連する誤解があるので指摘しておこう。第一次、二次のAIブームがフレーム問題で挫折したのは厳密な推論にこだわりすぎたためであり、統計データにもとづく確率を導入した現在のAIでは問題は解決されたとのべる専門家もいる。この断定は誤りなのだ。たしかに過去の統計データにもとづくベイズ推定を行えば、限られたデータをインプットされたロボットが無事にハンバーガーを買ってくる確率はかなり高いだろう。とすれば、すべてをAIに丸投げしても、せいぜい程度問題だから満足せよと断言してよいだろうか。——否である。

本質的な難点は、厳密な推論のかわりに統計的な推論を用いても、全く解決されない。「想定外のできごと」は過去に予測された統計データを越えた異次元に存在するのであり、肝心なのはそれに対処することである。コロナ禍の襲来だの、ロシアのウクライナ侵攻だのを想起するだけで、世の中には予測をこえた大事件が突然おきると納得できるだろう。

思弁的実在論を語る哲学者のメイヤスーは、想定外の分からなさを「潜在性(virtualité)」と呼び、統計分布にしたがう確率的な分からなさである「潜勢力(potentialité)」からはっきり区別した。潜在性こそわれわれが真剣に対処すべき不可知性なのだが、これを潜勢力の範疇《はんちゅう》に押し込め、AIのデータ処理能力を万能とみなして社会的決定を預けるのは危険千万であり、決して知的な態度とはいえない。繰り返すが、統計処理は万能ではないのだ。

いったいなぜ、秀才ぞろいのICT研究開発陣のなかでこういう愚かな誤解が生じたのだろうか。原因は、ICTにおいて対象を眺める視点の偏りにあると考えられる。

理系の情報学の開始は20世紀半ばだが、このとき二つのパラダイム(学問的枠組み／基本的考え方)が誕生した。「コンピューティング(情報処理)・パラダイム」と「サイバネティック・パラダイム」である。それぞれの鼻祖は、ジョン・フォン・ノイマンとそのライバルであるノーバート・ウィーナーという二人の天才数学者だった。フォン・ノイマンが、現在のプログラム内蔵型デジタル・コンピュータの祖型であるEDVACの報告書を1945年につくり、またウィーナーは、統計的フィードバック制御の考え方を記した名著『サイバネティックス』を1948年に著した。

二つのパラダイムの最大の相違は、対象を観察する視点の位置にある。コンピューティング・パラダイムにおいては、世界のあらゆる対象をあたかも天上の神のように俯瞰する。ゆえに人間の心(意識)や思考も外側からとらえられる。すべてはデジタル・データで表現され、論理的なアルゴリズム処理によって最適化が実行されるのだ。AIがコンピューティング・パラダイムの寵児であることはすぐ分かるだろう。

一方、サイバネティック・パラダイムにおいては、多様な主観的視点が採用される。当初のサイバネティクスは、飛来する敵機を限られた視野しかもたない高射砲射手が撃墜するための軍事的な制御理論として考案されたが、やがてより広く、生物が環境のなかで生存するためにいかなる行動をとるべきかという分野に展開されていった。たとえば手足を失った人のための義肢の研究である。そこでは義肢をつけた人物の神経系が電子回路と直結され、フィードバック制御により、当人の主観的世界のなかで義肢が作動する。したがってサイバネティック・パラダイムは、生き物のもつ意味や価値と関わってくるのである。

だがその後の情報学の歴史を振り返ると、圧倒的にコンピューティング・パラダイムが優勢を保ってきた。そのことが情報学に「視点の偏り」という不幸をもたらしたのである。さらに加えて、ウィーナーの古典的サイバネティクスがかなり曖昧だった点も忘れてはならない。つまりそこでは、主観にもとづく多様な意味世界への着目というよりむしろ、コンピューティング・パラダイムと同じく、生き物を一種の機械としてとらえる眼差しも見られたのだ。ゆえに「サイボーグ」といった、電子機械的生命体のイメージさえ喚起してしまったのである。

こういった側面を徹底的に反省し、コンピューティング・パラダイムの対立概念としてのサイバネティック・パラダイムが「主観性にもとづく情報学」の真の支柱となるには、１９７０～８０年代のネオ・サイバネティクスの登場を待たねばならなかった。

ネオ・サイバネティクスと閉鎖性

ネオ・サイバネティクスの理論的端緒をひらいたのは、哲学的な物理学者ハインツ・フォン・フェルスターである。この人物は、１９４０年代後半から50年代前半にかけ、米国で幾度もひらかれた「メイシー会議」で、議事録作成を担当した。

メイシー会議とは、生物や言語、社会など様々な学問分野について、情報やコンピュータ、サイバネティクスなどを含む統一的なシステム論を展開しようとした学際的な研究会合である。参加したのは、ウィーナーやフォン・ノイマンに加え、まとめ役としてニューラルネット・モデルの鼻祖である神経生理学者のウォレン・マカロック、このほかに、情報理論をつくった通信工学者クロード・シャノン、一般システム理論の創始者ルードウィヒ・フォン・ベルタランフィ、さらに言語学者のロマン・ヤコブソン、文化人類学者のマーガレット・ミードやグレゴリー・ベイトソンなど、錚々《そうそう》たる顔ぶれだった。

当時、コンピューティング・パラダイムとサイバネティック・パラダイムはまだ渾然一体であり、情報やシステムといった側面から一貫して世界(宇宙)をとらえようとしていたのである。なお、ここで一言断っておくが、本書では生物の主観性に重点をおくサイバネティック・パラダイムを強調するとはいえ、筆者は客観性中心のコンピューティング・パラダイムの意義を無視するつもりは全くない。コンピュータ技術の発達とともに、あまりに情報学が後者の視点に偏りすぎており、効率向上のために人間が機械化されてデータ至上主義が横行し、このままでは未来社会が崩壊する恐れがあるので、前者の視点も回復せよと言いたいだけなのだ。

恐らくフォン・フェルスターも二つの視点を両立させる重要性に気づいていたに違いない。この人物が創始したのは「二次サイバネティクス(second-order cybernetics)」である。客観性を重視するコンピュータ計算は基本的に「開放系の情報学」であり、デジタル・データがシステム間を自由に往来する。一方、生き物の主観重視のサイバネティクスは「閉鎖系の情報学」なのだ。閉鎖系とは、システム論的には、データがシステム内で閉じたループをつくるということである。古典的なフィードバック制御システムは、再帰的に作動して安定をたもつ。これは簡単な閉ループだが、二次サイバネティクスではいっそう複雑な閉ループ・モデルが用いられる。

生き物は環境を観察して自分にとって意味（価値）のある対象だけを選び出し、それらから「自分にとっての世界」をつくりだしつつ生きている。これは、システム論的にいうと、「自分にとっての世界に準拠して、時々刻々、新たに世界をつくりだす」という再帰的・循環的な操作であり、閉ループ・モデルとして定式化できる。しかし、つくりだした世界は主観的で独りよがりかもしれず、環境への対処に失敗して、怪我をしたり飢えたり死んだりすることも稀ではない。これを防ぐために

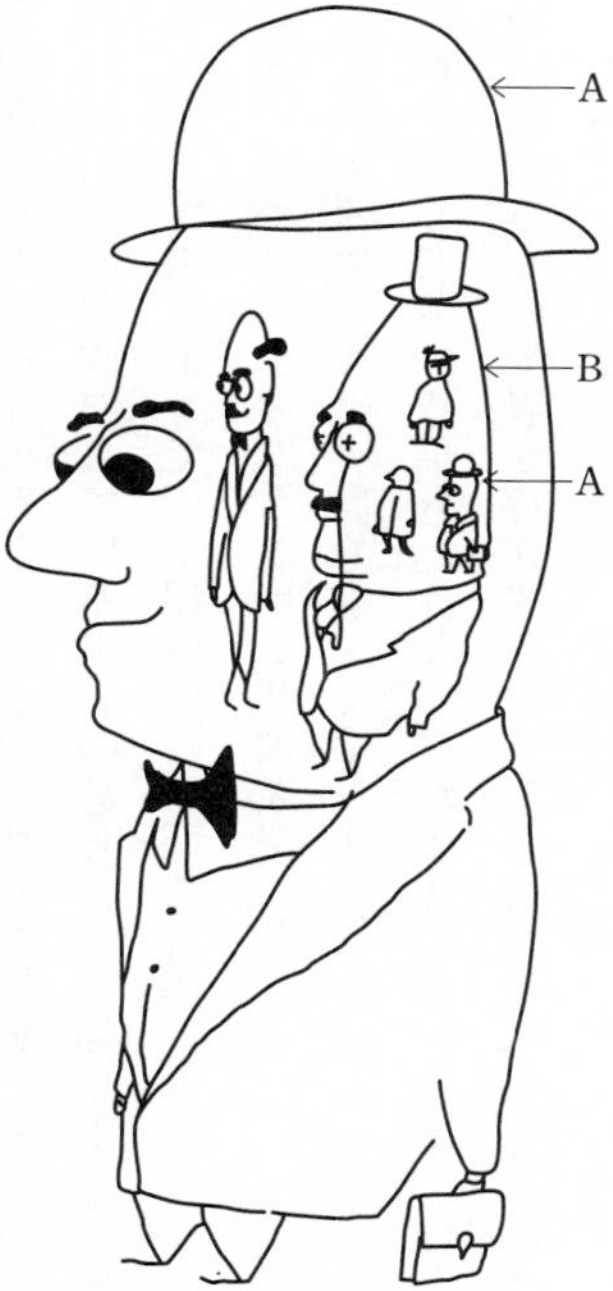

図 3-1　山高帽をかぶったビジネスマン

客観性が必要になるのだが、ここで「観察の観察」つまり「二次観察」が有効性を発揮する。これは、自分が観察している世界のありさまを他者もまた観察する、ということだ。この二次的な相互作用によって、主観世界は一種の客観性を獲得することができる。有名なのは「山高帽をかぶったビジネスマン」の例である（図3－1）。

ビジネスマンAは、自分（のイメージする世界）のみが唯一の実在であり、あとは想像上のでっちあげだと主張するかもしれない。だがAの世界の中には、もう一人のビジネスマンBをふくめ、たくさんの他者が存在する。するとBの世界のなかのAもまた、Bにとっては想像上のでっちあげということになり、矛盾してしまう。こうして、二人のコミュニケーションをつうじ、「実在世界」という仮説がうまれて矛盾を解決することになる。このような二次観察にもとづいて、主観性から出発しながらも客観性をもつような、新たなサイバネティクスの構築が可能となるのだ（原理上、二人の相互観察で十分なので、三次以上の観察は不要）。

フォン・フェルスターは1970年代に、二次サイバネティクスの精密なシステム・モデルをつくりあげた。古典サイバネティクスとの違いは「観察された(observed)システムから観察する(observing)システムへ」の根本的な視点転換だと言われる（詳細は本邦未訳の著書『理解を理解すること(*Understanding Understanding*)』を参照）。1958〜76年に米国イリノイ大学のBC

表3-1　ネオ・サイバネティクスの諸学問

研究分野	理論名	提唱者
システム論	二次サイバネティクス	ハインツ・フォン・フェルスター
生命哲学	オートポイエーシス論	ウンベルト・マトゥラーナ＆フランシスコ・ヴァレラ
社会学	機能的分化社会論	ニクラス・ルーマン
心理学	ラディカル構成主義論	エルンスト・フォン・グレーザーズフェルド
文学	文学システム論	ジークフリート・シュミット
科学哲学	オートポイエティック身体論	河本英夫
情報学	基礎情報学	西垣通

L（生物コンピュータ研究所）の所長をつとめたフォン・フェルスターは、そこに各国の研究者を招聘した。こうして、20世紀末にかけ、BCLからサイバネティック・パラダイムにもとづく多様な学問が次々に開花していったのである。

それらは、オートポイエーシス論、機能的分化社会論、ラディカル構成主義論に加え、文学システム論や身体論などであり、提唱者や分野は表3－1を参照されたい。われわれが構築中の基礎情報学もその一角をなす。

こうして「ネオ・サイバネティクス」という新たな知が誕生した。この内容は、「特集　ネオ・サイバネティクスと21世紀の知」（『思想』1035号、2010年7月）、ならびに、本邦未訳のクラーク＆ハンセン『創発と身体化（*Emergence and Embodiment*）』にまとめられているが、西田洋平『人間非機械論――サイバネティクスが開く未来』が分かりやすい。
ネオ・サイバネティクス諸学の中でとくに注目されるのは、オートポイエーシス理論である。もっとも有名なのはルーマンの機能的分化社会論だが、これも同理論にもとづいている。生物とそのコミュニケーションという存在に明確なシステム論的定義を与えたのは、このオートポイエーシス理論だったのだ。

生物の定義はいろいろある。代謝し、自己複製し、進化する、などの諸条件をあげる定義もあるが、それらを備えた非生物なら工学的につくれるかもしれない。昔は、生き物はほかの物質と異なる特別な性質をもつと考えられていたが、20世紀初め、ハンス・ドリーシュの唱えた「生気論(vitalism)」が学界で葬られて以来、生物は非生物と同じ物理化学的存在だという説が有力となった(ただし生気論の意義は、米本昌平によって最近見直されている。『バイオエピステモロジー序説』を参照)。とりわけ20世紀半ばのワトソンとクリックのDNA二重螺旋モデルの誕生の後、生物の本質が遺伝記号の配列にあり、したがってコンピュータ・モデルで作成できるのではないか、という議論が分子生物学やICTの研究者を中心に盛んになったのである。これもコンピューティング・パラダイム偏重を招いた一つの原因といえるだろう。

ところが一方、オートポイエーシス理論は、新たに、生物と機械(非生物)のあいだに、システム論的に決定的な相違があることを明示した。「オートポイエーシス」とは、自分(auto)で自分を創り出す(poiesis)ことである。

生物システムは、平衡状態を保ったり、身体組織を組み立てたりするだけでなく、誰の助けも借りずに自分で自分を創り出し続けるという特異な性質をもつのだ。生物のみが「オートポイエティック・システム」であり、ＡＩはじめあらゆる機械は「アロポイエティック・システム」として峻別される(アロとは「異なる」ということ)。オートポイエティック・システムの定義はなかなか難解だが、かみ砕いて特徴をいうと、システムの構成素が構成素を産出すること、またその産出プロセスが自己準拠的な閉鎖系をなすことである。

ヴァレラは生物システム特有のこの性質を「自律性(autonomy)」という概念であらわした。生物は自分の身体を内側の視点から自律的につくりあげる。われわれ人間の心や社会も同様だ。自律的(autonomous)だからこそ、そこに意味(価値)が発生するのである。一方、コンピュータ・システムのような機械は、他律的(heteronomous)であり、外側の視点にたつ設計者やプログラマーなど、他者の指示にしたがって作動する。ゆえにそれは、意味(価値)とは無縁なのだ。

この点について、ＡＩも自律性をもつと反論する人がいるかもしれない。生物と機械のあいだに境界線などないという意見もよく聞かれる。たしかに、あたかも自律的に振るまったり、口をきいたりする機械はもはや珍しくないし、LAWS(自律型致死兵器システム)という言葉もある。しかし、それらはあくまで疑似的自律システムであり、ヴァレラのいう自律性などもっていない。現在、AIの普及とデジタル化に関連して、自律性に関する議論が沸騰しているが、少なくとも、オートポイエーシスという論点を度外視するなら、無責任な人間機械論がはびこるだけだろう(この点について、河島茂生編著『AI時代の「自律性」』を参照されたい)。

オートポイエーシスから基礎情報学へ

オートポイエーシス理論をふまえた情報学により、コンピューティング・パラダイムに偏った情報学からの脱却が期待できる。集合知は主観にもとづきボトムアップで形成されるので、サイバネティック・パラダイムにもとづくアプローチが有効なはずだ。筆者らのグループが構築している「基礎情報学(Fundamental Informatics)」は、そういう情報学に他ならない。インターネット上の集合知にとって重要な議論なので、拙著『基礎情報学　正・続・新』を読んで頂ければ嬉しいのだが、以下、ポイントだけを簡潔にまとめておこう(なお、最新の研究成果は『基礎情報学のフロンティア』や『基礎情報学のヴァイアビリティ』を参照されたい)。

意味(価値)は情報にとって本質的である。それが本来、生き物の生命活動と不可分なのは、すでに繰り返したとおりだ。したがって、身体から生まれるそういう原基的で主観的な情報を「生命情報(life information)」と呼ぶ。歯が痛いとか、きれいな花に感動するとか、それらは皆、生命情報という広義の情報なのである。ついで、これを言語や画像、ジェスチャーなどの記号で表現したのが「社会情報(social information)」だ。生命情報のすべてが社会情報として表現されるわけではないが、われわれの日常生活で用いられる大半の情報が社会情報であり、これが狭義の情報といえる。社会情報では記号表現／能記(signifiant)と記号内容／所記(signifié)がセットになっており、割合に客観的な意味を担うことが多い。「会議で有益な情報を入手した」というとき、それは社会情報を指しているのだ。

さて、社会情報を時間空間をこえて効率よく伝えるため、最狭義の「機械情報(mechanical information)」が登場する。大切なのは、このとき意味内容が潜在化し、記号操作の形式的側面だけがクローズアップされるということである。0／1信号からなるデジタル情報は典型的な機械情報にほかならない。概念的には「生命情報⊇社会情報⊇機械情報」という包含関係がなりたつ。祝電の電気信号は機械情報だが、それは祝辞という社会情報であり、祝辞の文章にはお祝いの気持ちという生命情報がこもっている。

だが、現代のデジタル社会で情報というと、まず「機械情報ありき」ではないだろうか。これはシャノンの情報理論における情報の定義に起因している。シャノンは通信工学者で、伝送効率のよい記号システムを研究していた。だから機械情報だけを相手にすれば十分だっただろう。だが、意味をふくむ情報を扱うデジタル社会で、機械情報のみに限定された情報学はあまりに狭すぎる。にもかかわらず、コンピューティング・パラダイムにもとづくシャノンの情報理論を、今なお金科玉条のように奉っている専門家が大半なのはなぜだろうか。

そういう理由で、基礎情報学においては、サイバネティック・パラダイムのもとで、意味発生をともなった広義の情報に着目する。ところがここで難問が現れた。前述のように、意味は閉鎖系の内部で発生する。とすれば、閉鎖系どうしの間で、意味をふくむ情報の「伝達」をいかにモデル化すればよいのだろうか。

たしかに心と心の間で意味が完璧に伝わることはありえない。親しい間柄の会話でも気持ちが通じなくて誤解が生まれることはよくある。通常のオートポイエーシス理論では、したがって、情報伝達を正面から扱うことはない(ルーマンの機能的分化社会論には情報概念が顔をだすが、これはシャノン情報理論からの部分的借用である)。とはいえ、社会の中でそれなりにコミュニケーションが行われていることも、また事実なのだ。客観的な価値がみとめられている社会情報のやりとりをもとに、企業活動をはじめ社会生活が営まれている。そういう側面を無視するなら、情報学の名に値しなくなってしまうだろう。

基礎情報学の「階層的自律コミュニケーション・システム＝ＨＡＣＳ(Hierachical Autonomous Communication System)」というモデルは、この難問を解決するために導入されたものである。これは「階層的なオートポイエティック・システム」といってよい。従来のオートポイエーシス理論では、システム間に階層性は許されず、複数のオートポイエティック・システム同士は並列の関係にあるとされた。実際、ルーマンの機能的分化社会論では、心的システムと社会システムとは対等で相互に浸透していると見なされる。

しかし基礎情報学のモデルでは、オートポイエティック・システム間に階層性がみとめられる。各々は自己準拠性をもつ閉鎖系だが、下位システムは上位システムの制約をうけ、上位システムで部分的機能をはたす（詳しくは『続　基礎情報学』第１章を参照）。キーポイントは観察者の視点である。

たとえば、会社の社会システムは社員たちの心的システムの上位にあると見なされる。社員の心という下位のオートポイエティック・システムを内的な観察主体とすると、本来そこでは自律性がなりたち、心の中では自己準拠的にさまざまなイメージが渦巻いている。しかし上位の社会システムを観察主体とするとき、そこで下位の社員の心的システムは会社のコミュニケ

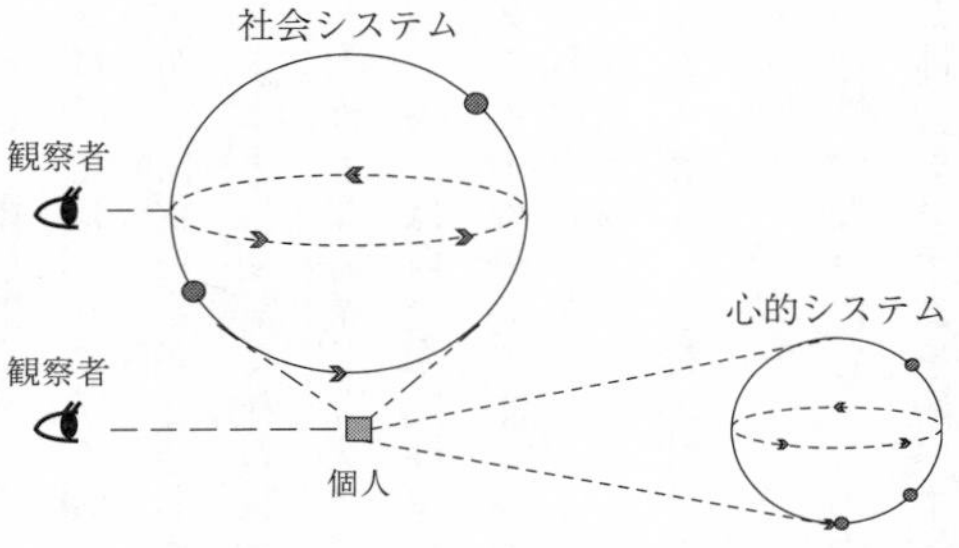

図3-2 HACSによる視点移動

ーションに素材を提供する「他律系」として機能しているのだ。一方、社会システム自体は、オートポイエティックな自律性を保ちつづける(図3-2)。

具体例として、会社の会議を想像してみよう。会議に参加している社員は、心の中では、会議のテーマである他社との新規取引だけでなく、連休の家族旅行の予定でも何でも考えることができる。だが、会議でそんな発言はしないし、仮に発言しても無視されるだけだ。そして新規取引についての社員の発言をもとに、会社のコミュニケーションは自己準拠的に実行されていく。

このように基礎情報学においては、一種の社会的な構造が組み込まれている。そうしてはじめて、社会における人間の権力関係をふまえたコミュニケーションをモデル化できるのだ。他の多くの生物と違って人間は、原理的には心の中で自由に主観的意味をつくれるものの、社会で生きていくためには、上位の社会システムで求められる役割におうじて他律的に行動しなくてはならない。心と社会は、現実には、対等の関係にあるわけではないのである。

このＨＡＣＳモデルは、主体による自由な意味発生をみとめつつも、レヴィ＝ストロースがサルトルとの論争で指摘した点、つまり、人間が文化や言語といった社会的構造を背負っており、完全に自由ではないという点を考慮したモデルだとも言えるだろう。とはいえここで、基礎情報学ではそのような静的・共時的な構造とともに、動的・通時的な歴史発展の側面もモデル化できることを強調しておきたい。

主観的な心的システムは、短期的には確かに、上位の社会システムという制約環境のもとで作動している。だが長期的には逆に、その作動が社会システムのコミュニケーションに影響し、社会システムを変えていくことはありえる。たとえば会社の不適切なルールが社員たちの不満の声をもとに変更されることも稀ではない。これは、主観的な意味発生が、客観的なルールの長期的な意味形成をもたらす例であり、基礎情報学では「プロパゲーション（意味伝播）」と呼ばれている。要するに、コミュニケーションとプロパゲーションを通じて、主観的な認識から客観的な知識が生まれるのである。このことが集合知の形成と関わってくるのだ。

ここで、本章でのべてきたことをまとめてみよう。

冒頭にのべたように、インターネットはハード的に地球上の諸国を無償でむすぶ画期的なインフラであり、人々の衆知をあつめる集合知が、多様性にもとづく英知によって社会的決定をもたらすことはありえる。しかし、ポストモダニズムが示唆するように、言語や文化の壁があり、単に性善説にもとづいてSNSで自由にデータを高速交換すれば機械的に望ましい社会的決定が達成できるわけではない。多数決による数量的決定も万能ではないのである。コンピュータによる効率的なデータ計算がつねに最適解をもたらすというのは、コンピューティング・パラダイムの客観主義にもとづく新たな形而上学であり、愚かな盲信である。生命情報、HACSモデル、プロパゲーションなどの概念をもとに、サイバネティック・パラダイムをふまえ、集合知をインターネット上で建設的に構築していくやり方を検討しなくてはならない。

その前に、いま日本が追随しようとしている、デジタル先進国アメリカの状況はどうなっているかを、次章で眺めてみることにしよう。そこでは、コンピューティング・パラダイム偏重がもたらす様々な亀裂が真っ赤な口をあけているのだ。

第四章　分断深めるデジタル大国アメリカ

トランプ現象とQアノン

世界的な傾向として、リベラルな民主主義は現在、退潮しつつある。

米国の政治学者ラリー・ダイアモンドの分析では、民主主義体制をとる国家の数を調べると、1980年代には34・5％、90年代には27・3％も激増していた。ベルリンの壁崩壊は1989年で、当時は誰しも、米国主導の西側陣営がソ連(現ロシア)主導の東側陣営に勝利したと思っていたのである。だが、2000年代になると増加率は1・3％でほぼ横ばいになり、2011〜20年には逆に6％も減ってしまった(ラリー・ダイアモンド『侵食される民主主義』上巻、序文)。マクロな体制変化だけではない。先進産業をもつ民主制国家においても、「司法の独立、メディアの自由、市民的自由が侵食されている」とダイアモンドは断言している。この鋭い指摘の対象に日本がふくまれていることを、われわれは肝に銘じなくてはいけない。

いうまでもなく、グローバルな民主化のリーダーシップをとってきたのは米国である。日本も太平洋戦争に敗れた後、一貫して米国流のリベラルな秩序のもとにあった。だが2000年代のイラク戦争とリーマン・ショックが引き金になったのか、軍事的にも経済的にも圧倒的優位を誇ってきた米国のリーダーシップは、２０１０年代に入ってから衰えを隠せない。大切なポイントは、この変化が一般の人々の価値観、とくに倫理観に亀裂を入れつつあることだ。政治的な腐敗と分極化が、どこの民主制国家をもむしばみつつある。

象徴的なのは、２０１６年のドナルド・トランプ米国大統領の誕生だろう。このトリック・スターめいた人物の異様なパーソナリティについては、いまさらコメントは無用だろう。米国リベラル派の怒りと批判の声は凄まじい。ダイアモンドは、「トランプは、規範破壊的で、移民排斥主義で、非リベラルで、反民主的なポピュリスト」として大統領選に出馬した、とのべる。大統領になってから、２０１８年のある時点で、ワシントン・ポスト紙のファクトチェッカーは「大統領が一日当たり6・5回以上虚偽の主張をしていた」と推定した。「アメリカの近代史上初めての反民主的な大統領」という言葉さえ聞かれる(『侵食される民主主義』上巻、１０２、１０６、１０９頁)。

だが本当の問題は、この奇矯な人物のパーソナリティ自体というより、いったいなぜ米国の国民が彼を大統領に選んだのか、ということだ。この点から目をそむけると、すぐに第二、第三のトランプが登場するだろう。

種々の政治的分析は専門家によってすでに十分に行われているはずだが、本書で着目したいのは、インターネットで日常的に展開されるデジタル・コミュニケーションとトランプ大統領誕生との関係である。とりわけ、ツイッターやフェイスブックなど、２０１０年代にウェブ２・０という名称で急速に普及したブログやＳＮＳ(Social Networking Service)は、いったいこのトランプ現象とどう関わるのか。——誰もが、ほぼ真偽のチェックなしに、インターネット上で瞬時に拡散するメッセージを発信でき、見知らぬ膨大な数の人々に影響をあたえられるようなメディアは、人類史上かつて存在しなかった。当初は、健全で民主的な集合知がえられると無邪気に期待する、性善説的な理想主義がみとめられた。だが、そういうウェブ２・０は現実には、いったい何をもたらしたのだろうか。

トランプ前大統領が、ツイッターのヘビーユーザーだったこと、そして「(ＮＢＣ、ＣＮＮ、ワシントン・ポストのような)既存の有力メディアは嘘ばかりついて国民を欺いている」と公然と繰り返していたことは周知の事実である。さらにまた、インターネット上のコミュニケーションとの関係では、２０１６年の大統領選挙のときの「ケンブリッジ・アナリティカ事件」を忘れてはならない。

このデータ分析会社は、トランプ陣営のためにデジタル情報収集や広告制作をおこなっていた。その際、フェイスブックから約８７００万人(大半は米国人)の個人情報を不正な手段で入手したことが判明したのだ。ウェブ閲覧やオンライン購買などの個人情報が、企業のマーケティングのために盛んにやりとりされているのは周知の事実である。だが、ケンブリッジ・アナリティカの場合、トランプ支持者とみられる人々を特定し、大統領選挙にターゲットを絞った心理作戦を展開したから話が大きくなった。「いいね」をクリックした投稿から政治的志向を分析できる。抽出された人々はたくみに誘導され、トランプに投票するよう洗脳された。プライバシー権の侵害としてフェイスブック（現メタ）社に対する集団訴訟もおこり、この事件が前述のEUのGDPR（一般データ保護規則）の実施を後押ししたという説もある。

ともかく、そんな事件がありながらも2017年から4年間、トランプは大統領の座にいたのだが、20年にはついにジョー・バイデンに敗れ、再選はならなかった。米国は一時の迷妄から覚醒したではないかという声があがったかもしれない。だがそんな楽観的な民主主義者に冷水を浴びせたのが、21年1月6日、800人ほどの市民による連邦議会議事堂襲撃事件だった。連邦議会議事堂が攻撃され占拠されたのは、1814年のワシントン焼き討ち事件以来、米国史上初めてという驚くべき事件である。

襲撃されたとき、議事堂のなかでは議員たちが、2020年の大統領選挙における投票結果を正式に認定し、バイデン次期大統領の就任を確定しようとしていた。ところが侵入者たちは、

「選挙に不正があった」と主張して、この手続きの阻止をはかった。トランプ前大統領は今なお、「選挙を盗まれた」と訴えているが、その後の調査では選挙の不正は確認されていない。この襲撃事件は明らかに、トランプ本人を中心とした一種のクーデターとみなせるだろう。だから要するに、米国という世界の民主主義リーダー国において、大統領選挙という民主主義の根幹である法的手続きが、紛れもない暴力によって妨害されたのである。何という異常な出来事だろうか。

ここで、「Ｑアノン」という、トランプ支持の熱狂的な大衆運動に注目してみたい。正体不明のＱという人物が、２０１７年にネット掲示板「４チャンネル」に匿名（アノニマス）で投稿したことが発端だそうだが、奇妙な陰謀論を語って圧倒的な人気をあつめ、今では信奉者が数百〜数千万人におよぶという。２０２２年11月の米国中間選挙では民主党も善戦したので、急拡大には歯止めがかかっているという見方もあるが、その勢いにはあなどり難いものがある。議事堂に乱入した暴徒のなかには、上半身裸で角つきの毛皮帽をかぶったＱアノン信奉者もいた。

Ｑアノンの陰謀論はまさに途方もない。「民主党幹部ら小児性愛者が「影の国家（ディープステート）」を組織し、ひそかに世界を支配している。この悪の帝国にたいし、敢然とたたかう勇敢な戦士の筆頭こそが、ドナルド・トランプだ」などと言うのだ。そういえば、トランプが赤ちゃんを抱きかかえ、悪鬼の形相でとびかかってくる元国務長官ヒラリー・クリントンから逃れようとしている合成写真をみた記憶がある。まさに噴飯ものの幼稚なホラ話だが、この陰謀論にはいくつもの謎がちりばめられていて、人々はゲーム感覚でのめりこんでいる、という声もある。ただし、黙示録的な終末論の雰囲気もあり、遊戯というより、善と悪の二元論はマニ教やグノーシス主義を連想させる。アメリカニズムが科学技術進歩を旨とする近代主義であることは間違いないが、他方、生物進化論を否定する反科学主義を奉じる人々も米国には少なくない。陰謀論は彼らの心を巧みにとらえるのだ。デジタル文明論やトランス・ヒューマニズムと宗教との関係は、決して単純なものではない（ちなみに、フランスの哲学的工学者であるジャン＝ガブリエル・ガナシアは、著書『虚妄のＡＩ神話』においてシンギュラリティ仮説とグノーシス主義との共通点を指摘している）。

一神教の歴史的背景をもたない多くの日本人は、Ｑアノンの陰謀論などと縁がないという感じがするだろう。ところが実はそうでもないのだ。米国に次いでＱアノンの信奉者が多いのは、どうやら日本らしい。２０２０年の米国大統領選挙で投票数の集計に不正があったとか、コロナ・ワクチン接種は殺人的だとかいったメッセージは、日本のＳＮＳでも散見される。

Qアノンの投稿掲示板の管理者といわれるロン・ワトキンスはアジア系米国人だが、2016年から札幌に住んでいたという(今は米国に帰国)。もともと匿名のネット掲示板は日本の「2ちゃんねる(現5ちゃんねる)」が発端だとワトキンスは言う。たしかにインターネットでの匿名発言は日本では海外より多い。しかし、なぜ宗教的・歴史的背景が異なる日本で、Qアノンの信奉者が少なからず増えているのだろうか。この点については、日本の民主主義の在り方とも関わるので、同調圧力や共同体性をふくめ、さらに考察が必要である。

集合知シミュレーションの教訓

Qアノンの信奉者はネット掲示板から広がった。ネット・コミュニケーションがトランプ現象を生んだといっても過言ではない。いったい何故なのか。ネット・コミュニケーションは本来、人々の情報共有で民主主義を助長し、望ましい社会的合意にいたるプロセスを支援するものではなかったのか。人々が納得する冷静な客観知をボトムアップでつくりあげるための、集合知のツールとして位置づけられていたのである。ところが逆に、信じられないような物語(ナラティブ)によって人々を感情的に扇動するツールとなってしまった。建設的なネット集合知を形成するには、隠れた前提条件があるのだろうか。

この疑問に理論的にアプローチするために、ある数学的シミュレーションに着目してみたい。それは、心身問題について、気鋭の情報学研究者である西川アサキが行った哲学的論考の一部である。

心身問題とは、平たくいうと「心のなかのイメージが先か、身体をつくる物質が先か」という難問のことだ。前者は主観的な一人称の唯心論で、心にいかにして物質的世界のイメージが出現するかを語るが、後者は客観的な三人称の唯物論で、身体の物質的メカニズムから心のありさまを説明しようとする。現在は後者が優勢であり、科学的分析から心理を説明する議論が人気をあつめる。ただし、これはコンピューティング・パラダイムと同じ「外側」からの議論である。「内側」からの観察を重んじる詩人や文学者には物足りないだろう。哲学者マルクス・ガブリエルはこの点を指摘しているのだ。

西川の議論は両者のいずれでもない。まず一人称の主観から出発し、二人称の対話(相互コミュニケーション)をもとに、三人称の客観世界に迫ろうとする。具体的には、生物の身体内にいかにして脳という中枢が生まれるかが西川の論考であり、著書『魂と体、脳——計算機とドゥルーズで考える心身問題』にまとめられている。

人間をふくめ多くの動植物は多細胞生物だが、これは天文学的な数の細胞の凝集体にほかならない。生物進化史が教えるように、それぞれの細胞はもともとバラバラで自律的に生きている存在なのだが、生きるために寄り集まり、脳などの中枢細胞の指令のもとに分業して作動している。つまり、内臓や手足などの細胞は、同じＤＮＡ遺伝子(ゲノム)から発しながらも、脳細胞から見るとあたかも機械部品のようにそれぞれ決まった役割を果たしつつ、他律的に作動しているのだ。

こういった多細胞生物のシステム・モデルが、前章でのべたＨＡＣＳ(階層的自律コミュニケーション・システム)のモデルと通底していることは明らかだろう。中枢とはいわば会社の社長、つまり会社というシステムを統括保持する存在であり、各細胞は社員である。階層の下位に位置する社員の心は本来、自律的なオートポイエティック・システムだが、上位の社会システムにおいては、コミュニケーションの素材を提供する他律的(アロポイエティック)な存在となる。

したがって西川の研究を、ネット社会における集合知コミュニケーションの研究として再解釈することは不自然ではない。主観知(個人的意見)から二人称の対話を通じて三人称の客観知(社会的合意)へといたるプロセスをコンピュータ・シミュレーションによって分析することができる。すでにこの再解釈を拙著『集合知とは何か』の第五章で詳述したが、かなり複雑なモデルなので、本書では簡潔にエッセンスだけ紹介することにしよう(面倒なら結論の要約まで読み飛ばしていただきたい）。

対象となるモデルは、一定数（20名ほど）のメンバーからなり、それぞれ一個ずつ質問と回答をもっている。回答はメンバー固有だが、質問はどんどん変わって構わない。また各メンバーは「キャッシュ（一時記憶）」をもち、そこに得られた回答を記憶する。メンバーは次々に相異なるペアをつくり、対話を繰り返す。対話をつうじて、メンバーのなかにリーダーがいかに出現するかを分析するのが、シミュレーションの目的だ。リーダーはメンバー相互の対話をつかさどり、客観的な三人称の知識の体現者とみなされるのである。メンバーは自分以外のメンバーについて、それぞれ「信用度（評価値）」をもっている。信用度の分布は主観的でメンバーごとに異なるが、リーダーとは多くのメンバーによる信用度が高い特別なメンバーに他ならない。

さて、信用度はいかに定められるのだろうか。「自分が相手の質問に回答できなくても、相手が自分の質問に回答してくれるとき、相手の信用度を上げる」というのが基本である。ただし、自分にとっての相手の信用度が一定の「閾値」よりも大きい場合、相手が自分の質問に回答できなくてもその質問をいったん相手に預け、自分は相手に回答してやるという「遅延対話」が実行される。なぜなら相手はリーダーになりそうな「偉いメンバー」だからだ。預けられた質問はキャッシュに記憶される。キャッシュのなかにたくさんの回答と質問をもっているメンバーはリーダー候補であり、対話の際はキャッシュを使って、自分固有の回答でなくても様々な質問に回答できる。また相手が回答できる質問をして、遅延対話を完結させることもできる。

ところで、誰を評価するかという信用度の分布は、いわば各メンバーにとって主観的な価値の世界に他ならない。では、「共通の信用度分布」はいかに定められるのだろうか。——すべてのメンバーにとって信用度の高いメンバーが出現すれば、それは正真正銘のリーダーと位置付けられることになる。ポイントは、対話の際、「信用度の調整」が行われることだ。ここで開放系(他律系)と閉鎖系(自律系)の違いがあらわれる。まず、対話する2人をのぞく各メンバーについて、2人の信用度の算術平均を共通の信用度と定めるというのは、意味解釈のない形式的処理だから「開放系」となる。一方、互いに相手の信用度を推測しあって再計算を繰り返し、妥協できる収束値として共通信用度を求めていくのが「閉鎖系」だ(詳しい計算法は『魂と体、脳』を参照)。前者はコンピュータ同士のアルゴリズム処理、後者は人間同士の腹の探り合いに近い。

さて、シミュレーションの結論を要約してみよう。ここで、シミュレーションの環境条件をあたえるのは、信用度の設定に関わる「閾値」であり、その値によってリーダーの出現の仕方

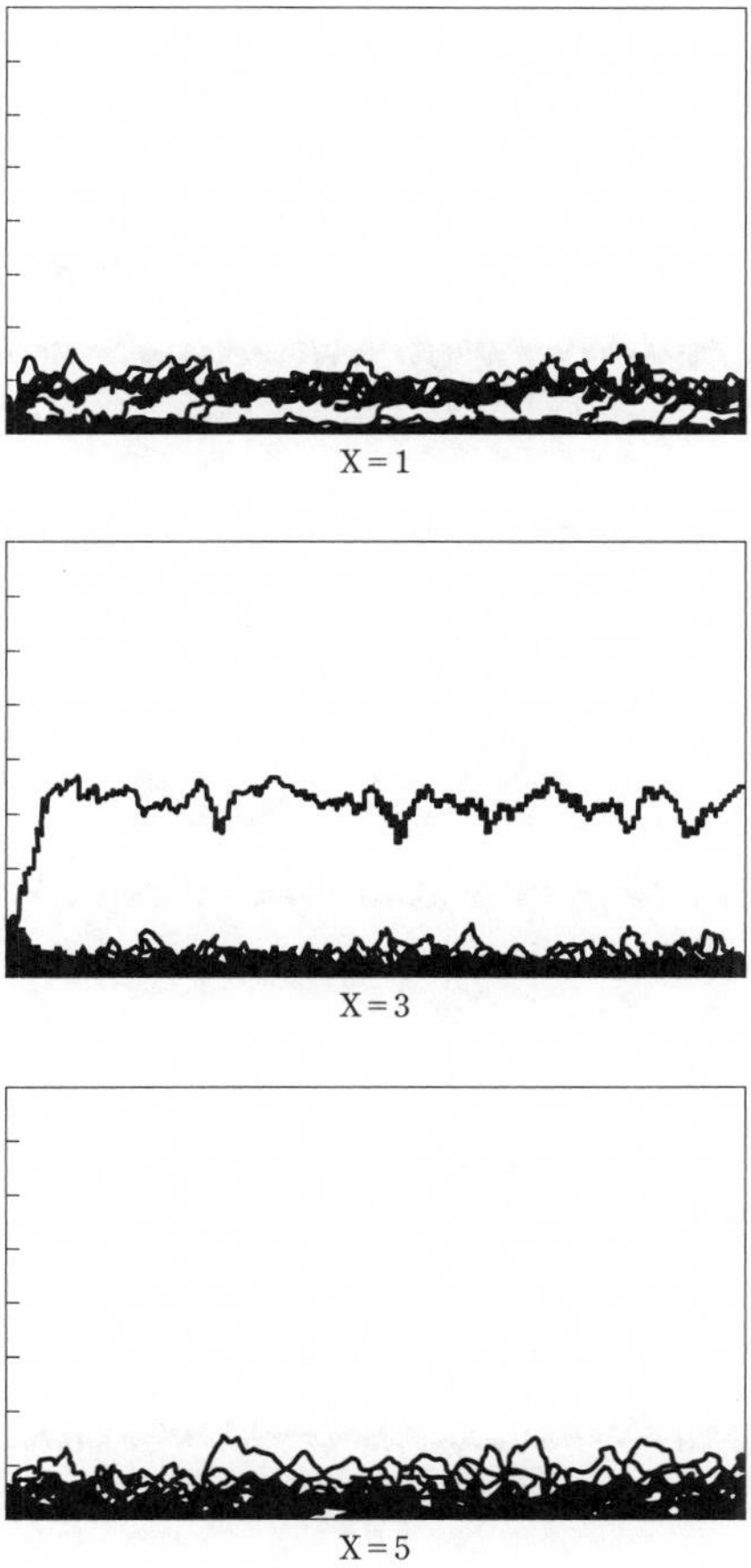

図 4-1　開放システム（横軸＝時間，縦軸＝信用度）　X＝閾値
（西川『魂と体，脳』にもとづく）

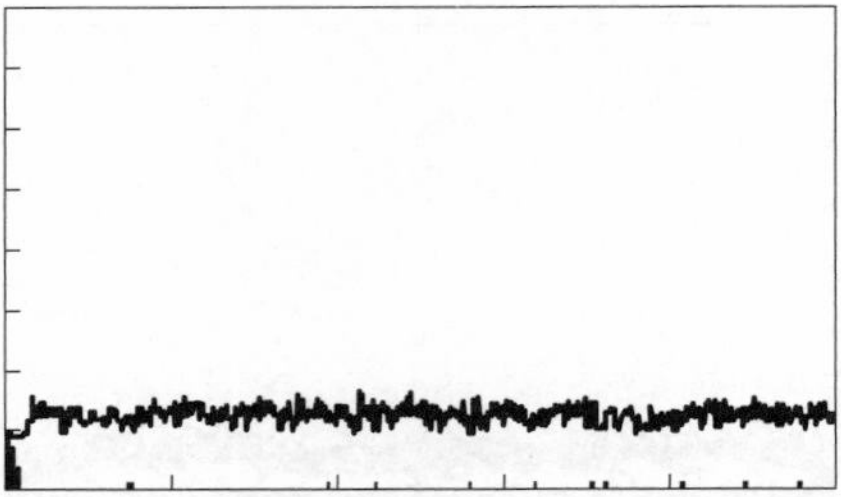

X=1

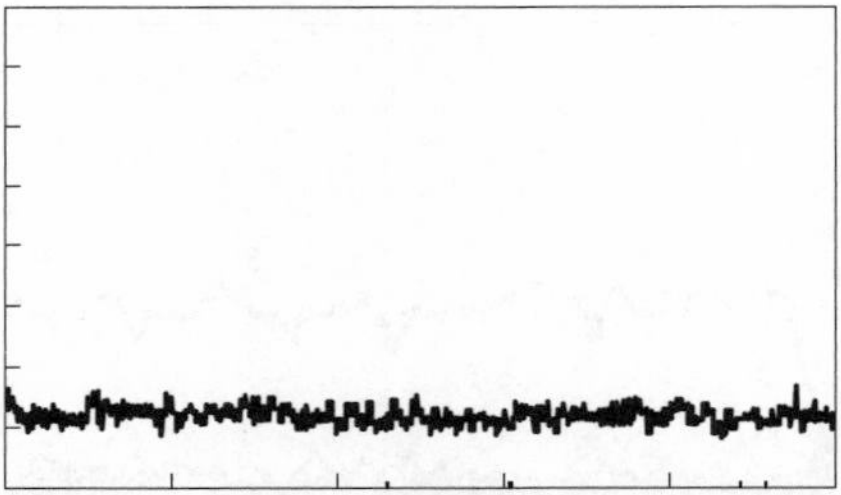

X=3

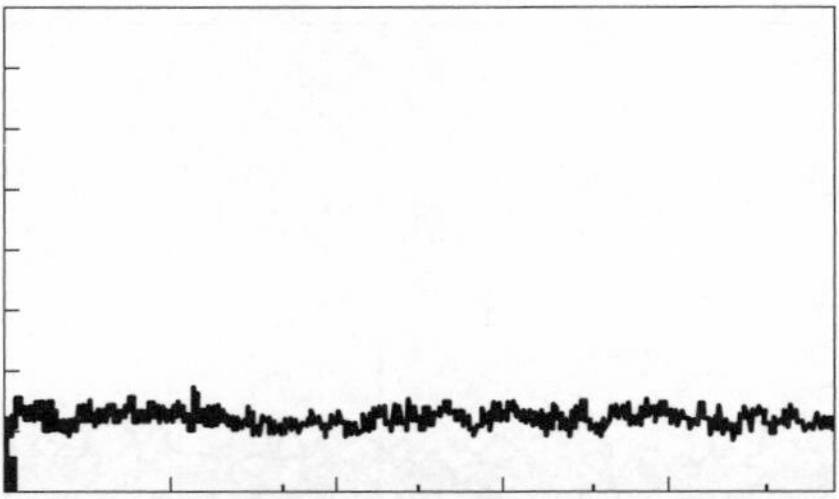

X=6

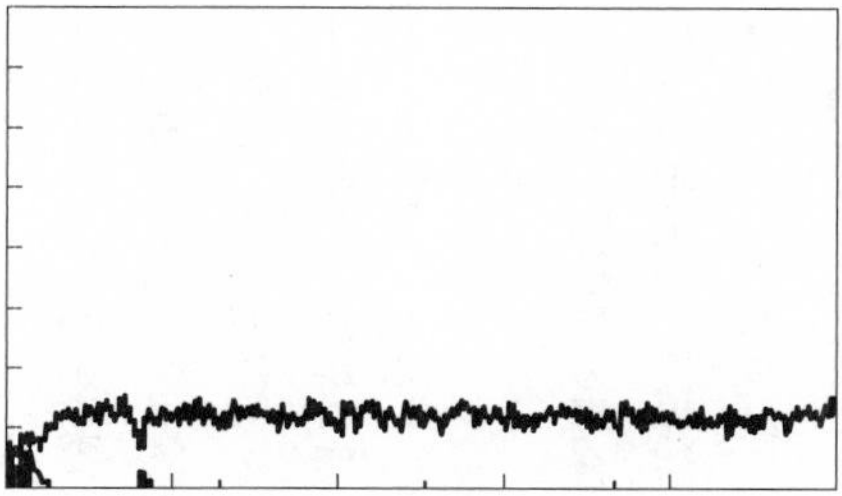

X＝15

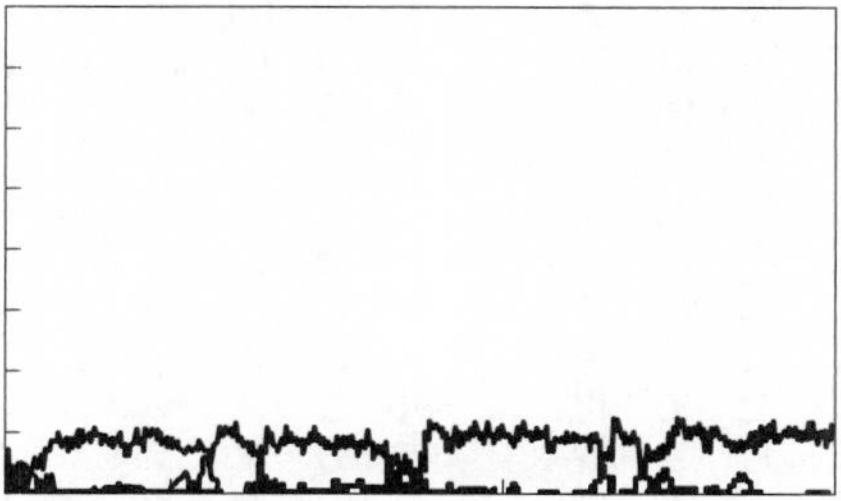

X＝19

図 4-2　閉鎖システム（横軸＝時間，縦軸＝信用度）　X＝閾値
出典は図 4-1 と同じ

は異なる。まず著しい特徴は、開放系と閉鎖系の相違だ。開放系の場合、環境条件に応じてリーダーが多極的に乱立したり、リーダーのいないアナーキーな状況になったりして安定しない。ただし、ある非常に限られた環境条件のもとで、絶対的・恒久的なリーダーが出現する（閾値＝3）。一方、閉鎖系の場合、環境条件によらず、かならず安定したリーダーが登場する。また、時おりリーダーの交代が起きている（図4－1と図4－2参照）。

あえて大雑把にいえば、開放系の場合、各メンバーにとって世界はあまりに「透明」に見えすぎるのだ。だから環境条件の微妙な違いとともに、グローバルな状況が急激に変化してしまう。具体的には、リーダー乱立、アナーキー状態、絶対的リーダー出現などの間を揺れ動くことになる。

一方、閉鎖系の場合、各メンバーにとって世界はあるていど「不透明」であり、それぞれが自分の価値観／世界観をいわば保守的に維持できる。それゆえ、多元的で相対的な世界観が並立し、グローバルな状況は安定するのだ。ただし、各メンバーの価値観は完全に孤立したものではなく、対話によって徐々に変動していく。また、こういう相対主義がありながらも、リーダーが登場し、あるていどの一元的価値観も存在する。さらにそのリーダーも恒久的存在ではなく、ときどき入れ替えが起きる。ほどほどの安定が達成されるのである。両者のこの違いはたいへん示唆的ではないだろうか。

むろん、以上のべたシミュレーションは、数学的モデルの通例として多くの仮定が置かれており、必ずしもあらゆる場合に正確な予測を与えるものではないかもしれない。しかし、単なる概念的な分析では得られない精密で深い洞察を得ることができる。

整理してみよう。

もしわれわれ人間が、あえて情報の意味解釈にじっくり時間をかけず、瞬時に決まった反応や従属的な判断をするようになったと仮定する。つまり閉鎖系の特色を抑圧するということだ。このとき人間は、心の中の自律性を自ら減じて、あたかも機械部品のような、疑似的な他律系(開放系)に近づいていくのである。そうなるとシミュレーション結果が示唆するように、適切なリーダーのもとでの集合知は成立せず、アナーキー状態や多数のリーダー群の乱立、もしくは独裁的リーダーの指示に盲目的にしたがうようになりがちなのだ。

そして、DX推進論者が鼓吹している理想状況、つまり機械情報(データ)が効率よく自在にしかも高頻度で往来する状況とは、まさに、われわれ人間の心を、本来の閉鎖系から「疑似開放系」に向けて誘っていくものではないのだろうか。

デジタルな魔術的支配

リベラルで豊かな民主的社会は好きだが、デジタル化の進展とともにオカネ第一の日常生活は忙しくて危険がふえた、と痛感している人は多いだろう。そこに技術をあやつるエリートの支配の影を見てとる人もいるはずだ。この点につき、早くも20世紀前半に鋭い警告を発したのは実存哲学者ハイデガーだった。科学技術の進歩を礼賛しながら憑かれたように未来を変革していく米国とソ連にたいし、「それは狂奔する技術と平凡人の底のない組織との絶望的狂乱である」と糾弾した1935年の講義は有名である(とはいえ、代替としてナチズムになびいた点はまずかったが)。

社会哲学者の藤本龍児は、ハイデガーの議論をふまえながら、デジタル世界の今後について著書『「ポスト・アメリカニズム」の世紀』で魅力的な議論を展開している。

ハイデガーは現代を「魔術化の時代」ととらえた。文明化は通常、理性重視の脱魔術化と思われがちだが、実は「Machenschaft(作為性)のとどまることのない支配」がもたらす魔術化だというのだ。この魔術は、端的には、数学的算定にもとづく技術のことである。つまり作為性とは形式合理性のことであり、「実質的な意味を失い、手段の適合性や効率性ばかりを考える『計算可能性(Rechenhaftigkeit)』のこと」なのである。

こうして世界(宇宙)のあらゆるものは、人間もふくめて、「利用可能なもの」として作り変えられるようになる。これこそ、ハイデガーが批判する「総かり立て体制(Ge-stell)」に他ならないのだ。ハラリが不気味に主張する「人間はアルゴリズムだ」というデータ至上主義の未来像と、何とも酷似しているではないか……。

大切なポイントがある。デジタル技術は、数学的算定能力を極限まで高めるが、普通それは合理的で客観的な判断をもたらすと考えられている。AIはだからこそ、人間より賢いと評価されているのだ。だが実は、デジタル技術は個々の人間の主観、とくに感性につよく働きかける作用をもつのである。このことは、消費者の購買意欲をたくみに誘導する現在のマーケティングからも明らかだろう。

ところでハイデガーによれば、作為性は「誰にでもアクセス可能な場所に、神秘的な、すなわちスリリングで扇動的で、幻惑し、魔法をかけるような「体験」を作りだす」ということになる(『「ポスト・アメリカニズム」の世紀』、212〜213頁)。ハイデガーの予言は恐ろしい。DXやメタバースをつうじて、われわれの心は下手をすると魔法にかけられ、安定した意味をつくりだす閉鎖系から疑似開放系へと変えられていくのではないのか……。

言っておくが筆者は決して、DXやメタバースといったデジタル化を全面否定するつもりはない。有効な活用法はむろんあるし、その方向を模索していくべきなのだ。ただ、ハイデガーが批判したような状況は加速しており、手放しで技術的進歩を信奉しすぎると、われわれは生きる真の意味を見失ってしまう。さらに途方もない迷走を始めることもある。

以下、米国のネット分析家ニーナ・シックの著書『ディープフェイク』にもとづいて、具体例をあげてみたい。

2016年の米国大統領選挙のとき、トランプの対抗馬だったヒラリー・クリントンがネット・コミュニケーションによるひどいデマに悩まされた。前述のように、彼女や当時のオバマ大統領が小児性愛主義者だというのである。いったいなぜそんな阿呆らしい噂がうまれたのかを説明するのが、次の「ピザ・ゲート」という事件なのだ。

クリントン選挙陣営の責任者のメールがハッカーにより盗まれ、ウェブサイトで公開された。するとまもなく、「4チャンネル」などの匿名電子掲示板で、次のような奇妙奇天烈な陰謀論が広まり始めたのである。――「ヒラリー・クリントン、バラク・オバマは、エリートばかりが集う小児性愛者の組織のメンバーで、ワシントンD.C.のピザ店の地下で活動している」というのだ(『ディープフェイク』、176頁)。なぜかといえば、会合に関するメールで使われていた「ピザ」や「チーズピザ」といった単語は、インターネット上の隠語では「児童ポルノ」を意味するからである。そのうえ、クリントン選挙陣営責任者は「コメット・ピンポン」というピザ店の持ち主で、この店名の頭文字はチャイルド・ポルノの頭文字と同じC.P.だったなどと、まさに言いたい放題……。

まったく程度の低いギャグそのものだが、この告発とともに、たちまち「真相を述べる」といった匿名の発言が電子掲示板に次々に登場し、もったいぶった説明を始める。何万という人々が、電子掲示板で熱狂的な非難を開始するのに時間はかからなかった。さらにそれだけでは終わらない。トランプ当選後の２０１６年12月4日、ライフル銃をもった男がピザ店コメット・ピンポンに侵入して発砲したのである。幸い死傷者はなかったが、このエピソードは、インターネットで高速に交換されるコミュニケーションが、たとえ内容自体は無茶苦茶でも、いかに人々の心を強烈に支配し、現実像を歪めてしまうかを明確に物語っている。

これは匿名投稿による奇想天外な事件だが、一般論として脅威なのは、シックの著書のタイトルと同じ「ディープフェイク」の広がりといえるだろう。

第二章でのべたＡＩの「ディープラーニング（深層学習）」と「フェイク（偽物）」との合成語が「ディープフェイク」であり、第三次ＡＩブームの核心である最新技術を駆使した偽動画のことに他ならない。オープンソースについては第一章でもふれたが、米国などのＡＩ研究においては、他人の作ったプログラムを自由に組み合わせ、別の機能をもつ自分なりのプログラムを手早く開発する傾向がある。とりわけ深層学習技術を活用したアプリケーション・プログラムの人気は高い。

２０１７年に、「ディープフェイクス」というニックネームの人物が、電子掲示板に、有名ハリウッド女優の偽ポルノ動画を投稿した。すでにインターネット上では当時、ポルノ女優の顔に有名女優の顔写真を貼り付けた偽画像は珍しくなかったようだが、これは迫真性において抜きんでた出来栄えだったとのこと。オープンソースを活用し、深層学習のアルゴリズムによって、画像一枚ごとにきめ細かな置換と修正を可能にしたのだろう。実際、ＡＩの機械学習技術の向上はめざましいから、その後、こういった偽ポルノ動画の数はインターネット上で急速に増加した。さらに、簡単に自分でディープフェイク動画を作る無料のソフトもひそかに流通しているとのことだ。

有名人の偽ポルノ画像を楽しむくらいいいじゃないか、という声があるかもしれない。だがご本人にとっては非常に不愉快だし、プライバシー侵害でもある。さらに今後、有名ではない一般人のあいだで、フラれた相手の画像を使った偽ポルノ動画を腹いせにバラ撒く、といった卑劣な犯罪も懸念される。

以上のべたことは、いったい何を意味するのか。――DXが普及し先端的なデジタル技術を誰もが使いこなすようになると、これまで「信頼できる証拠」とみなされてきたテクストや画像が、その根拠を失ってニセモノめいてしまう、ということだ。メタバースのなかで微笑みかけてくるバーチャルな相手は、いったい何者なのか。相手の言葉のどこに真実があるのか。われわれは何を信じて生きていけばよいのか。最近、米国の若者による無差別銃撃事件が相次いでいるが、それらと、こういった精神的空洞化との関わりも気にかかる。

深刻な疑問をかかえながら、ひとまずデジタル先進国である米国の現状について、もっと詳しく眺めていくことにしたい。

多文化主義の陥穽

ここまでの記述から、デジタル化のもとで真偽の見極めができなくなり、迷走した米国人は、トランプ陣営に踊らされた共和党支持の保守的ポピュリストだったという印象を受けただろう。だが、それは半面の真実にすぎない。

２０１６年の大統領選挙の本命だったクリントン前国務長官が敗れた原因は、民主党支持の進歩的リベラリストの側にもあったのだ。「トランプが勝ったのではなく、むしろリベラル側が自滅した」という鋭い指摘もなされている。そう主張したのは、選挙直後、左派の大新聞ニューヨーク・タイムズに掲載された長文の論考「アイデンティティ・リベラリズムの終焉」だった。著者はリベラル派のすぐれた政治哲学者マーク・リラである。

以下、米国の政治思想の専門家である会田弘継の著書『破綻するアメリカ』をもとに、米国左派の内部に生じている深刻な亀裂について述べてみたい。それは日本をふくめ、デジタル社会の未来と深くかかわるからだ。

周知のように、左派の進歩主義者は人種やジェンダー、性的指向などにおける多様性を尊重する。このこと自体は望ましいとしても、過度の多極性の強調と促進が、自分の属する集団のこと以外には無頓着なナルシスティックなリベラリストを生みだし、アイデンティティにこだわるだけになってしまう、とリラは懸念する。こういう「アイデンティティ・ポリティクス」においては、集団ごとの「差異」が問題になり、全体にかかわる「共通性」はないがしろにされがちだ。

急速に広がっているのは、いわゆるミーイズム、つまりあくまで個人第一で、「自分探し」をもとに行動するという態度である。たとえば、人種差別の撤廃、女性の権利向上、性的少数者の解放などは、むろんそれぞれ大切なテーマだ。しかしそれらは互いに内容が異なるので、あまり集中的に追求していくと、視野がだんだん狭くなる。政治性が個に還元されるとき、生まれてしまうのは「討論の拒否」だ。リラは次のように批判する。

「〇〇の立場として言えば、あなたが〇〇と主張すると私は侮辱されたと感じる」。このパターンの発言が若いリベラル派の学生などに蔓延しはじめた。この発言によって、対話は一種の力関係に変じてしまう。発言者は「〇〇の立場として」という時に自己のアイデンティティの優越性を打ち立て、あとは質問を受け付けず、アイデンティティが優位だと宣言して「勝利」し、議論は終わってしまう。（中略）アイデンティティが「地位」となって、その地位を認められた者だけしか議論できないということになる。（『破綻するアメリカ』、154〜155頁）

こうした新しいリベラリズムはネット・コミュニケーションと不可分である。「いいね」で結びつく相手だけが交友範囲となるのだ。キャンパスの教職員までこの風潮に巻き込まれると、一流大学でも奇妙なことが起きる。たとえばミシガン大学では、学生の性的指向に配慮し、「自分に関する三人称代名詞を選ぶ権利」を与えた。そして「he や she」の他に中性の単数形として用いることのできる「they」または「ze」という新代名詞、あるいは「自分で指定する代名詞」を登録するように学生に告知したのである。だが、はたしてキャンパスの外の一般社会はこういう呼称を認容するのか、という率直な疑問もわく。

いま一つ例をあげよう。連邦最高裁判事9人の顔ぶれは、米国の司法や政治のゆくえに多大な影響をあたえる。リベラル派のスティーブン・ブライヤー判事が退任した2022年、バイデン大統領は後任として黒人女性のケタンジ・ジャクソン氏を指名した。バイデン大統領は以前から最高裁判事として黒人女性を指名する方針を公表していた。これに対し、ジョージタウン大学の憲法学センターの役職に就任予定だった某法学者がツイッターで、もっと適任なアジア系女性がいるのに、あらかじめ人種や性別を決めて人選するのは残念だと発言した。このツイートに対して、左派の黒人学生たちが猛反発し、ネットで抗議の炎上事件がおきてしまった。翌日、某法学者はツイートをすぐ削除し、言葉がまずかったと謝罪文を公表した。しかし結局、大学当局は某法学者の人事を棚上げにしたのである。

ジャクソン氏の経歴は立派なもので、その適格性をうんぬんする法学専門知識は筆者にはない。もしツイートの表現が侮辱的だったなら、黒人学生が憤激するのも無理はないだろう。とはいえ、法学者として、連邦最高裁判事の指名方針を論評すること自体は、表現の自由ではないのか。一体なぜジョージタウン大学当局が人事棚上げをしたのか、疑問がのこる。

もしかしたらツイートの言葉のなかに「ＰＣに違反する用語」が混じっていたのかもしれない。「ＰＣ（Political Correctness 政治的正しさ）」はアイデンティティ・ポリティクスの基本をなす考え方である。人種差別、女性差別、性的指向差別などに該当する用語は、当事者を深く傷つけ、社会的差別を助長するのでＰＣ違反であり、許してはならないというのが左派リベラリストの主張だ。納得できる面もむろんあるが、やりすぎると「言葉狩り」が始まり、議論そのものが成立しなくなってしまう。ある用語がどういう文脈で、どういう意味合いで使われたのかが問題であり、まるで機械的なデータのように単に排除禁止するというのでは、ＡＩの形式的なアルゴリズム処理と同じである。

にもかかわらず、ＰＣにもとづき、ネット炎上を理由に人間の地位や権利を剝奪する行為は今や、米国社会で多発している。これは「キャンセル・カルチャー」と呼ばれる社会現象であり、某法学者の最高裁判事選定をめぐる事件はその好例なのだ。驚いたことにキャンセル・カルチャーでは、当人に関する、近年だけでなくはるか以前の言動も掘り起こされることが少なくない。いったんネットで公表され、炎上すれば一巻の終わり、というわけである。とくに米国の大学では、微細な言葉遣いのなかに差別的な「マイクロ・アグレッション（小さな攻撃性）」

を感じとる学生が2010年代後半から急速にふえており、業績を全否定されるキャンセル・カルチャーの餌食になりそうな教職員は戦々恐々だという。

さて、アイデンティティ・ポリティクス、PC、キャンセル・カルチャーといった、高学歴のリベラル派のあいだに広がる現象の基盤をなすのは「多文化主義(multiculturalism)」である。これは、複数の文化の共存をみとめる文化多元主義(cultural pluralism)とは異なり、さらに徹底的に自文化の価値を主張し、場合によっては異文化の排斥もいとわない。発端は前章でふれたサルトルとレヴィ＝ストロースの論争にさかのぼる。ただし、米国に大きなインパクトをあたえたのはフランスの哲学者ジャック・デリダのポスト構造主義、とくに「脱構築の思想」だろう。ここでデリダの思想について語るのは控えるが、米国の一部の左派エリートの受容の仕方はやや浅いのではないだろうか。

自分を専ら被害者の立場におき、孤立するか、あるいは小さなグループだけでコミュニケートし合う。他のグループ・メンバーを口汚く攻撃する。他者の苦痛を思いやり、時間をかけて公共善のための論理を積み上げるのではなく、手っ取り早く自分の個人的感情と欲望を発散させる。——これはまさに、開放系のシミュレーションが示唆する、アナーキーかまたは多極性の不安定なコミュニケーションのありさまではないか。すなわち、性善説にもとづくボトムアップ集合知の理念とは正反対のものなのである。

そして、前章でのべたマルクス・ガブリエルらの新実在論は、こういう過激すぎる底なし相対主義の迷走に警鐘をならすものでもあった。21世紀の信頼できる知を構築するためには、自己本位の底なし相対主義を克服しなくてはならない。

没落する中間層

トランプ現象の一因となった米国民主党リベラル派の問題点について右に述べたが、共和党保守派のなかにも分裂が生じている。6000万人といわれる白人労働者の大半は、以前、民主党支持だったのだが、今では共和党支持に鞍替えしたという。彼らを理論的にリードした保守的知識人がいたのであり、そのバックアップがなければ、2016年のトランプ大統領の当選はなかっただろう。トランプ陣営の選挙対策責任者だったスティーブン・バノンはその代表格である。バノンのような保守的知識人は、トランプを嫌う共和党主流派のネオコン(新保守主義)知識人とは明らかに異なる。ネオコン知識人はグローバリズムを重んじ、アメリカの自由と民主主義の理念を世界中に広めることに使命感を持つ。その一方で、理念追求にともなう2000年代以来のアフガニスタン戦争やイラク戦争による消耗が米国の国力衰退を招いたのも事実である。

バノンのような反主流派の保守的知識人とは、アメリカ衰退論を語り、警告を発する人々といってよい。彼らは、「私生児や犯罪の増加、とめどない政府の肥大化、公共サービス・インフラの劣化、初中等教育の劣化、学生に多額の借金を強いる高等教育」などを挙げて、米国の現状をはげしく批判する（前掲『破綻するアメリカ』、139頁）。ネット掲示板に記されたその言葉は、2016年の大統領選挙において、伝統的なキリスト教道徳の崩壊におびえ、長期にわたる戦争に倦んだ一般米国人の心をとらえたのだ。彼らは「オルタナ右翼（Alt-Right）」と称され、しばしば白人至上の人種差別主義者と位置づけられる。トランプはPC違反の常連だし、たしかにそういう面は否定できない。

だがむしろ白人労働者の不満の中心は、経済的に自分たちが置き去りにされているということではないのか。それゆえ自国利益第一の経済的ナショナリズムを唱えるトランプに惹かれたのである。

彼らからすると、政府はデジタル技術をあやつる「テクノクラート・エリート」に支配されており、自分たちの利害をないがしろにしているというわけだ。エリートたちは口先で多文化主義やアメリカの自由民主主義を鼓吹するが、内心では目先の金儲けのことしか考えていない。

普通の一般の人々を、商品のようなモノとしてしか見ていない。

そんなテクノクラート・エリートは、左派にも右派にもいる。アフガニスタンやイラクにおける長い戦争にたいする批判の声を、ネオコン知識人は巨大軍事資本をバックに封じ込めた。そして、マネーゲームがもたらしたリーマン・ショックによるひどい経済のツケを、政府は一般の普通の人々に押しつけた。ところが、普通の人々は、不法に国境を越えてくる大量の移民とのあいだで起きる摩擦軋轢を生身で受け止めなくてはならない。ついに耐えられず受け入れ反対の声をあげると、左派のエリートたちは「排外主義、人種差別」と非難する。だがエリートたちは、移民とは無縁な高級住宅街で安穏に暮らしているではないか。――これが米国の中間層・下層の憤りの肉声だ。トランプはまさにそういうエリートを激しく攻撃することで、白人労働者たちの人気を集めたのである。

さて、中間層・下層の白人労働者たちの反乱を招いた主要因は経済格差だという分析はいかなるデータで裏付けられるだろうか。ここで経済学者ブランコ・ミラノヴィッチが2016年に著した『大不平等(*Global Inequality*)』に着目してみよう。

国際的に注目された話題作だが、なかでも有名な図は、世界中の人々の実質所得の伸びを示す象の鼻のようなカーブだ。縦軸は1988〜2008年の実質所得の累積増加率であり、横

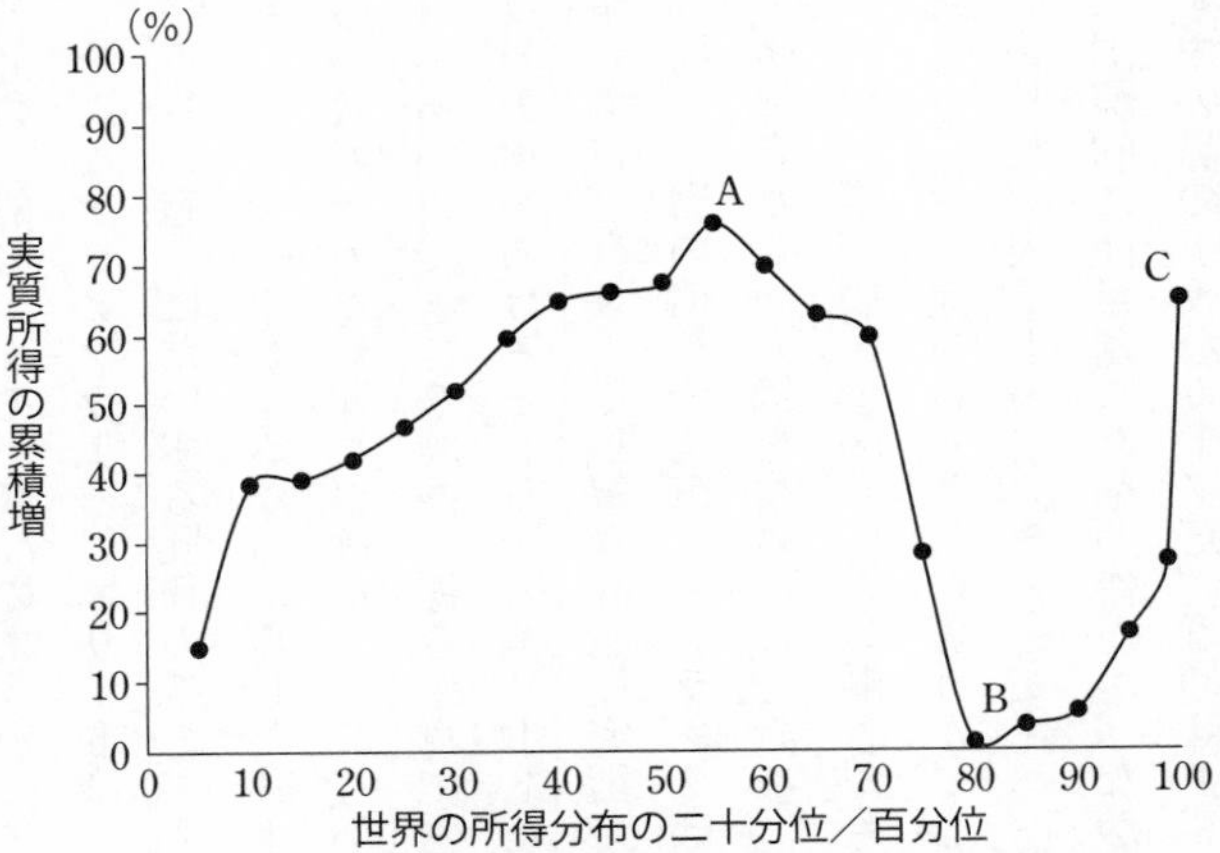

(注)このグラフは，1988–2008 年までの世帯 1 人当たり実質所得(2005 年国際ドル)について，グローバルな所得分布の二十分位(ベンティル)ごとに，相対的な伸びを%で示したものである(グラフの横軸は百分位目盛りなので，世界で最も貧しい層である第 1 二十分位は 5，最も豊かな第 20 二十分位は 100 で表される．また，特に最上位の 1% 層を表す点を追加している)．実質所得の伸びが最も大きいのは，所得分布の第 50 百分位(中央値，点 A)付近と最富裕層(最上位 1%，点 C)だ．最も伸びが少なかったのは世界の第 80 百分位(点 B)付近で，豊かな世界の下位中間層が大半を占めている．

(出典)Lakner and Milanovic(2015)．

図 4–3　グローバルな所得水準で見た 1 人当たり実質所得の相対的な伸び(1988–2008 年)

軸は世界の一人当たりの所得分布である。これによれば、中位の所得の人(A)の増加率は大きく、また最上位の所得の人(C)の増加率も著しい。だが両者の中間の所得の人(B)は、ほとんど所得が増していないのである。このことは、中国や旧ソ連、インドなど経済発展途上国の中間層の人々の所得が増えたこと、そして米国など資本主義経済の先進国における富裕階層の所得も増大したこと、一方それに対して、先進国の中間層や下層の所得はほとんど増大しなかったことを示している(図4－3参照)。

なおこの図は増加率であって増加額ではない。だからこそ絶対値で見ると、多大なお金を手にしたのは(A)の人々ではなく、実は(C)の人々だけなのだ。絶対増加分の約2割は世界でもっとも裕福な1%の人たちの懐に入ったのである。さらに彼らのうち約半分は米国人であり、その割合は米国人口の約12%にあたる(前掲『大不平等』、17、27～28、40頁)。つまり大雑把にいうと、米国人のなかの1割強はこの20年間でずいぶん豊かになったのだが、残りの9割弱の人々の多くは(B)に対応し、その所得増加率は低いままにとどまったのである。

別の角度から眺めてみよう。周知のとおり、貧富の格差は所得に関する「ジニ係数」で表されることが多く、この割合が高いほど格差が大きいとされる。百分率で表すと、中には南アフリカや中南米諸国のように50%をこえる国もあるが、一般にジニ係数が40%をこえると政治体制は不安定化すると言われている。だから先進国では、徴税をはじめとする再分配政策によって40%より低く抑えるのが普通だ。

1970～2013年の統計によれば、米国のジニ係数はここ数十年のあいだ上昇傾向にあることがわかる。2010年時点で、税引き前の市場所得についてジニ係数は50%以上、税引

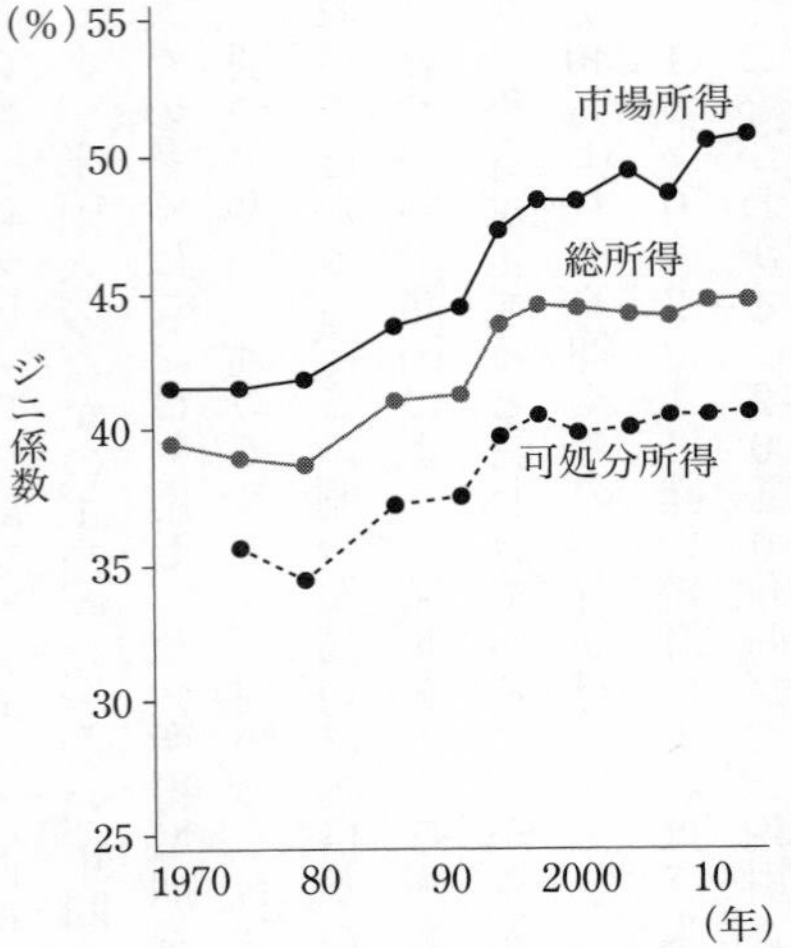

(注)このグラフは，1970–2013 年のアメリカ合衆国の市場所得，総所得，可処分所得の不平等を示したものだ．市場所得(要素所得ともいう)は税引き前の労働所得と資本所得を含むが，政府による(社会)移転は含まない．総所得は，市場価格に社会移転(公的年金，失業手当，児童手当，家族手当，社会支援)を加えたものに等しい．可処分所得は，総所得からすべての直接税(連邦税および州税)を差し引いたものに等しい．計算はすべて１人当たりベースで行っている(世帯ごとの１人当たり所得についてジニ係数を計算しているということ)．
(出典)Luxembourg Income Study(http://www.lisdatacenter.org/)より計算．

図 4-4　アメリカ合衆国の市場所得，総所得，可処分所得の不平等(1970–2013 年)

き後の可処分所得でも40%をこえている(図４-４)。

なお、この傾向は過去からおよそ変わっていない。20世紀後半の１９５０年代にはニューディール政策の効果でいったん35%程度に下がったものの、その後は一貫して上昇をつづけてきた(同右、１２６頁)。米国においては、ここ半世紀近くのあいだ、不平等・経済格差は継続して拡大してきたのである。

ミラノヴィッチによれば、欧米先進国のなかで、中間層（可処分所得が中央値のプラスマイナス25％以内の人たち）の割合は米国が最も低く、1979年には人口の33％だったのが、2010年には27％まで下がっている（同右、197〜199頁）。スウェーデンやオランダの中間層が40％をこえているのと比べると、明らかに格差が目立つ。ミラノヴィッチは米国における不平等拡大を指摘し、その理由として、国民所得のかなりの部分が資本所有者にまわること、資本所得がごく一部に集中していることなどを挙げている。

ミラノヴィッチの『大不平等』が書かれたのは2016年だが、その後はどうだっただろうか。端的には、2020年にコロナ禍が来襲した後、世界的にみて全般に格差は広がったと考えられる。スイスのUBS銀行によると、コロナ禍以来の1年間で保有資産10億ドル以上の超富裕層は資産を約2兆ドルも増やした（日経新聞電子版、2020年12月20日）。経済学者トマ・ピケティらの分析によると、2021年度について、世界の最上位1％の人々が地球上の資産全体の38％を独占し、下位50％の人々の資産はわずか2％にとどまるという（毎日新聞、2022年4月7日）。

要するに現在の米国では、ごく僅かの超富裕層が株取引などにより潤沢な資本蓄積をおこなっている一方、一般の人々はそのお裾分けにもあずかれないジリ貧の状態がつづいているのだ。

これが格差拡大でなくて何だろうか。

ただしここで、経済格差と絶対的(物質的)貧困とは全く違うことを指摘しておく。米国の大半の人々は、発展途上国の貧困層とは異なり、必ずしも餓死寸前まで追い詰められているわけではない。彼らの多くを苦しめているのはいわば「精神的貧困」であり、生きがいや目的の喪失なのである。額に汗して勤勉に働けば幸福な生活がやってくるというプロテスタント的な希望を奪われたこと、デジタル化にともなう金融資本のメカニズムのなかで時代遅れの機械部品のように見なされ、人間としての誇りを傷つけられたことが、耐えがたい苦悩の原因なのだ。

米国の白人中年層の死亡率は上がっているという。死亡原因は自殺と薬物であり、いわゆる「絶望死」にほかならない。このありさまを、競争に負けたのだから仕方ない、自己責任だと突き放せるだろうか。同じことが日本をふくめ世界中の先進国で起きる可能性は高いのである。

ポスト・アメリカニズムへの渇望

20世紀は「アメリカの世紀」だった。第一次、二次世界大戦をへてグローバリズム遂行まで、米国が軍事的、経済的、文化的に世界を主導したことは言うまでもない。これは単に市場経済が計画経済に勝ったというだけでなく、アメリカニズムが人間の本性をうまくとらえたからだと考えられる。では21世紀はどうだろうか。インターネットやAIにもとづくアメリカニズムは引き続き世界をリードできるのか。それともポスト・アメリカニズムの新たな時代が到来するのか。

――この問いに答えるためには、米国が大量生産技術をもつリベラルな民主主義国だというだけでは不十分である。さらに宗教大国でもあることに気付くべきだという藤本龍児の指摘は正しい。周知のように米国は欧米諸国のなかでキリスト教信仰がとても篤い国だが、その信仰は一種独特の性格をもっている。欧州の伝統的なキリスト教信仰とは異なり、数値化やデータ計算といった科学的合理性と不可分の面がある、ということだ。こうして、あらゆる存在物を算定しうるものとみなし、量と数の次元を重視する技術中心の社会が出現する。経済成長率をはじめとして、大企業の売り上げや損益など、諸指標値の偏重はその好例だろう。このありさまこそが、前にふれた「総かり立て体制」に他ならない。そんな体制のもとで全ての精神的なものは破壊されてしまう、とハイデガーは批判した。

合理的・数学的な総かり立て体制は、常識的には、脱魔術化(脱宗教化)され、世俗化された結果だと思われている。だが実は、世界を自分の思い通りに作り変えられる、という信念にもとづいており、その根底には、万物を神が意図をもって創ったというユダヤ=キリスト教の創造説が横たわっているのだ。ノアの箱舟に乗った自分たちのような選民が、神の命をうけてフロンティアを拓き、人々を啓蒙し、理想世界を実現する「布教のミッション(使命)」をもっている、ということになる。

米国のエリートたちは、自称キリスト教徒でなくても、無意識にせよ、そういうミッションを心に抱く人々に他ならない。現代技術を脱魔術化でなく魔術化のツールだととらえたのは、さすがハイデガーの慧眼だった。無知で無邪気な一般大衆は、技術のもたらす華やかな娯楽ショーに幻惑され、いつのまにか誘導され支配されてしまうのである。

エリートたちは神の目で世界(宇宙)を俯瞰し、デジタル技術を駆使してアメリカニズムを諸国に拡大普及させようとする。インターネットはそのための手段なのだ。

彼らは考える。——神から見れば人間も機械も同じ被造物なのだから、AIは人間より賢くなれる。また、人間の脳という物質を加工して能力を向上させることもできる。どこまでもデジタル化を推進し、DXやメタバースを実現しなくてはならない。地球環境が劣悪になれば、箱舟ロケットにのって火星に行き、新植民地をつくればよいではないか、と。

ただし布教のためにはコストもかかるし、エリートの内心には金銭的欲望も巣くっている。これを正当化するのが、市場原理にもとづくネオリベ(新自由主義)経済学に他ならない。金融資本主義のもとでネット上のデータを独占的に操作し、途方もない利益を上げ続けるＧＡＦＡＭ（グーグル、アマゾン、フェイスブック、アップル、マイクロソフト）のような米国企業がこうして出現するのだ。世界的に格差が広がるのは当然という気もするが、エリートを動かす動機は、金銭的欲望だけでなくネット性善説と結びついた宗教的ミッションだということを忘れてはいけない。

ただしここで、米国がキリスト教大国だということが、エリートでない普通の人々にとっては、いま一つ別の側面をもつことを指摘しておこう。確かにユダヤ＝キリスト教は背景に古代ギリシア以来の形式論理をもち、計算づくで世界を征服していく「砂漠の思想」ともいえるが、同時に、イエスが説いた「愛と救済の教え」でもある。それは性的放縦をいましめ、禁欲と節制と相互扶助の清らかな生活を尊ぶのだ。今なお伝統的なキリスト教のモラルは米国の多くの人々の精神的支柱と言える。そういう一般の人々が、ヒラリー・クリントンをはじめリベラル左派が進める同性婚や妊娠中絶、ＬＧＢＴの容認といった政策に違和感を持っても不思議はない。

一方トランプは、２０１６年の大統領選挙では、（本当に篤い信仰をもっているかどうかは疑問だが）自分はキリスト教徒であり、その教えを守ろうと大声で呼びかけたのである。こうしてトランプは、米国の福音派をはじめとする保守的なキリスト教徒を味方につけてしまった。経済格差に苦しみ、伝統的モラルの崩壊を恐れる一般の白人たちが、デジタル化の高速潮流のなかで、あたかも開放系の機械のように翻弄され、「強いリーダー」の支配を求めたということは十分考えられるではないか。宗教大国であることは、世界の統一とともに国内を分裂させる、矛盾したベクトルをはらむのだ。

以上のように、米国の国内でさえ、エリートたちの目標は必ずしも達成できたとはいえない。多くの人々はネットのなかでいわゆるエコーチェンバーに閉じこもり、自分と同意見の人たちとばかりコミュニケートしあっている。亀裂分断は深まるばかりなのだ。

国内でさえ首尾よく行かないのだから、米国以外の国々でも、2010年代に入って多様な分断が顕在化しつつある。冷戦終了後、米国の経済的覇権のもとでいったん一丸となりかけた世界のなかに、再び民族主義的なナショナリズムの力学が蠢きはじめていることは不自然ではない。ゆえに21世紀は「ポスト・アメリカニズムの時代」だと言われるのである。

理由は明らかだろう。仕事場だけでなく家庭の隅々までインターネットが入り込み、GAFAMといった米国の私企業が、情報検索や標準ソフトなどを通じて、諸国の企業活動のみならず教育や文化、さらに個人の生活習慣にまでいつのまにか介入し、国民の価値観を細かく左右する。――歴史上、そんな事態が起きたことが、今までにあっただろうか。藤本が言うように、これは「リベラル・デモクラシーとデジタル資本主義の結合」であり、「アメリカニズムの新たな展開」なのである（『「ポスト・アメリカニズム」の世紀』、314頁、傍点筆者）。

　最近しきりにささやかれる民主主義の退潮は、アメリカニズムの浸透がもたらす経済的・文化的な脅威にたいする、各国の右派ポピュリストのみならず一般人からの激しい反発の現れと言えるだろう。本書では、こういった世界の政治的・社会的な現況について詳しく語る紙幅はないが、とりあえずインターネットに関連する脱アメリカニズムの幾つかのアプローチについて、きわめて雑駁に分類しておこう。

　まず、同じキリスト教の背景をもつEUとくにフランスなどでは、AIをはじめとするデジタル文化が人間を機械化し、近代が勝ちとった基本的な人権をデータ操作により崩そうとしている、という強い危機感がある（『虚妄のAI神話』や『ホモ・デジタリスの時代』など、知識人による批判を参照）。オランダで2010年代後半、AIの誤判断がからんで多くの無実の人々が児童手当の不正受給者と見なされてしまった事例はよく知られている。すでに実施中のGDPRもそうだが、2023～24年より施行予定の「デジタル市場法（DMA）」「デジタルサービス法（DSA）」は、GAFAMのようなプラットフォーム企業に対して、いっそう直接的な規制をおこなうものだ。

人権尊重は本来、どちらかと言えば左派の主張だが、すでに欧州の伝統的価値観の一部でもある。社会の急速なデジタル機械化に反発して、欧州諸国では右派ポピュリストの政治家が次々に台頭しつつある。ＥＵ諸国の政府は今後、左派右派を問わず、次第にアメリカニズムから距離をおく方向に動かざるを得ないだろう。

キリスト教の伝統をもたない中国のネット文化に対する態度は特異なものだ。国外からの情報流入をファイアウォールできびしく制限し、一方国内では、国民のスコアリング（格付け評価）や行動監視にＡＩやインターネットを活用しようというわけである。そこには、経済をのぞく一切の社会活動からアメリカニズムを排除しようという政府の意図がはっきり窺える。デジタル技術は使うが、価値観については中国独自のものを固守する、というのが中央政権の方針なのだ。今後、発展途上国のなかには、中国のような専制国家的インターネット活用法を見習う国が増えてくるかもしれない。

さて、同じキリスト教といいながら東方正教会のロシアは、ポスト・アメリカニズムを追求するために最悪の選択肢をとっているのではないだろうか。ロシアは２０１６年の米国大統領選挙において、フェイクニュースをばら撒いてトランプ陣営を助けたと言われている。ファイアウォールによる国内統制も皆無ではないが、むしろディープフェイクのような巧妙な偽情報で世界中のネット・コミュニケーションを攪乱するのがロシアの戦術だというわけだ。とりわけ、マイダン革命で自由主義化されたウクライナへの2022年の侵攻は、まるで時計の針を100年前に戻したような強引な戦争で、唖然とせざるをえない。

侵攻をプーチン大統領の個人的資質に帰する意見もあるが、もしロシアの一般の人々のなかに、伝統的価値観や生活習慣を破壊する米国文化がオープンネットとともに西から襲ってくるという危機感があるとすれば、事態はいっそう深刻である。なぜなら、そういう危機感や反発心は、ロシアだけでなく世界のどの国の普通の人々も共有しているからだ。

いずれにしても、デジタル化普及への反作用として、世界のブロック化への流れは速まりつつある。

では日本は一体どう対処すればよいのだろうか。

第五章　日本はデジタル化できるのか

輸入される知

ポスト・アメリカニズムの時代が訪れてきたことは明らかである。インターネット・グローバリゼーションの甘い夢想から覚め、世界各国に住む人々はブロック化された世界において、自らの進む方向を探し出さなくてはならない。もはや米国に追従すればよいというわけにはいかないのだ。

確かに、遅かれ早かれ米国は国民の力を結集して立ち直るだろうし、それがアメリカ流リベラル民主主義の凄いところではある。とはいえ、米国の国力の衰えと分断の苦しみを感じとって、適切に対処することも大切である。脱アメリカニズムの仕方は各々の国民性によって異なるだろう。ＥＵ諸国、中国、ロシアのそれぞれが選びつつある方向について前章末でふれた。はたして日本の方向はどうなのか。

まず、ＥＵ諸国のように、国際的・国内的な規制により、インターネットによるグローバル資本主義の暴走に歯止めをかけるのは、ひとまず穏当で望ましい方向だといえる。そういう努力がこの国で皆無だというわけではない。たとえば２０２２年春、総務省の有識者会議で、インターネット・サービスの利用者保護政策が提唱された。そこには、消費者のウェブサイトの閲覧情報を企業が無断で広告に利用することの禁止や、プラットフォーム企業によるきめ細かな情報管理の必要性などが盛りこまれたが、負担増大を嫌う経済界の強い反対で実現は難しくならざるを得なかった。総じてこの国の今の産官学リーダーは、デジタル化について公益よりむしろ企業活動の利害を優先する傾向がある。

次に中国のような、国家権力による徹底した情報囲い込みと国民の行動監視だが、これは日本ではなかなか実行困難だろう。仮にも野党のいる議会制民主主義国家だからだ。ではロシアに類似した方向はありえるのか。ウクライナの悲しい惨状を見れば、その可能性だけはゼロだと願いたいが、時計の針を80年あまり巻き戻して黙考してみると、必ずしもそうは断言できない。いつのまにか右派ポピュリズムがうごめきだし、国民が途方もない地獄に巻き込まれていく恐れは十分にある。

いうまでもなく、今の日本は、政治的にも技術的にも米国べったりだ。とりわけデジタル化についてこの態度は一貫している。本来コンピュータとは、ユダヤ＝キリスト一神教のロゴス中心主義、とくにフレーゲやラッセルの論理哲学を基盤とする機械であり、それがインターネットやＡＩという先端技術をもたらし、さらにはシンギュラリティ仮説といった怪しげなトランス・ヒューマニズム幻想まで生みだした。そういう宗教思想の背景を全く顧みず、ひたすら先端技術と経済効果の表面的細部のみを追っているのが、この国の産官学の姿なのである。だがDXやメタバースといった派手な概念に近視眼でとびつくと、それは予想外の落とし穴に日本を導いていくのではないか。

米国政治思想史を研究する会田弘継は、トランプ支持のオルタナ右翼と日本文化との親和性について鋭く指摘している。オルタナ右翼の中核を担う保守主義者は、「同質性、安定、階層秩序」を重んじる心理を強く抱いているという。この心理こそが、オルタナ右翼と日本文化の親和性の核なのだ。そして、アメリカ文化がむしろ「多様性、変化、平等」に重きを置くとすれば、「日米関係は最後はすれ違わないか」と懸念を示す(前掲『破綻するアメリカ』、138〜139頁)。

日本思想史研究で名高い丸山眞男は、日本の伝統思想には、キリスト教や仏教、儒教のような一貫した原理的実体は存在しないと断言する。そして「外国の思想をめまぐるしく受け入れて行くが、それにもかゝわらず思想の根底は変化しない」という逆説を解こうとつとめる。日本はかつてキリスト教(キリシタン)の布教を体験したが、その際、西洋人の目から見ても「これほど新しい教えをいつもよろこんで受容する用意のある国民はない」にもかかわらず、同時に「これ程伝統を頑強に固持した国民もない」という（『丸山眞男講義録　別冊二』、10〜12頁）。ただし抽象概念である原理的実体を理解する能力が、日本人に欠けているのではない。たとえば、１６０５年に刊行された『妙貞問答』の著者は禅僧からキリシタンになった日本人（後に棄教）だが、そこには造物主である絶対神による天地創造の根拠について論理的に述べられている。とはいえ、学術的な受容が社会的・政治的な現実を変えるまで開花して発展することはなかったのだ。

これはキリスト教だけでなく、さまざまな外来思想や学問についても同様である。明治維新後の「和魂洋才」はその名の通りであったうえ、敗戦後の議会制民主主義も、制度を形式的にとりいれたものの若者の政治参加意欲は低いままで、精神をしっかり体得したという証左はとぼしい。「人間より賢いＡＩを活用し、ＤＸやメタバースで社会・経済を抜本的に改革せよ」という政官財界の威勢のよい掛け声は、残念なことに、コンピュータ文明についての真剣な洞察を欠くので何とも空しく響く。それにしても、一体いかにして、これほど要領よく知の輸入ができるのか。

丸山はここで、日本では、思想や学問の理解は書物を読むことが第一義で、コミュニケーションは第二義だった点をあげる。本来、ギリシアの弁証法のように、思想をつくる原動力はコミュニケーションであり、直接的な経験からの抽象化を経ないでは「思想の名に値しない」のに、である。要するに日本では昔から、思想や学問は識字能力のある上層階級がそっくり外から輸入するものであり、広く中間層・下層をふくむ一般の人々のあいだで内発的に生まれることは稀だったのだ。ゆえにそれは、権威をもつ体制によって何らかのタテマエとして利用されるにとどまることが多い。

筆者は半世紀あまりの日本での研究生活、そして米国とフランスでの在外研究の体験を回顧して、この議論に深く同意する。日本での学問は、海外の権威ある文献の正確な読解から始まり、プロから認められやすい成果といえば、それらの精緻な紹介や実証、せいぜい部分的改善くらいなのだ。海外文献の根幹にかかわる批判的な議論を始めても、周囲からほとんど無視されてしまう。一方、欧米では逆に、根本的な異論にこそ優れた研究者が興味を示す。だから独創性のある日本人研究者は、言葉の壁をのりこえて海外で研究したほうが成功しやすいのである。近年、政府は科学技術立国を掲げ、いかにも独創的研究を尊重するようなフリをしているが、有史以来、日本では外国文化を専ら「摂取」するという特殊な慣習が続いてきたことは明らかなのだ。

では他方、中間層や下層の人々がみせる伝統への固執はいかにして生じるのだろうか。日本が、民族移動や他民族による征服といった体験をもたなかったことから、丸山は人々の受ける影響について次のように述べる。

> 異質な文化との日常的な接触はなく、圧倒的影響は第一には偶然的な渡来に依存し、第二には支配層によって摂取されるという形式をつねにとることによって制限されている。さらに、水田稲作の農業生産様式の特質――水と草の管理、集約的労働による共同体的統制の必要から、同族団を基礎とする共同体的結合が社会的底辺に執拗に維持される。これをこえた民衆自体の相互的コミュニケーションが制約されるために、この社会的底辺の閉鎖性が破壊されるチャンスに乏しい。(『丸山眞男講義録　別冊二』、71〜72頁、読みやすくするために一部表記を変更)

つまり、外来文化はまず、社会の上層部に入り、十分な時間をかけて中間層・下層に浸透していくのであり、ゆえに日本は文化的には開かれていながら、社会的には閉ざされているのである。

以上の議論をかみしめると、この国のコンピュータ技術の潜在能力は第一章でのべたようにきわめて高いにもかかわらず、なぜ日本社会でオープンなインターネットによるＤＸが困難なのか、その理由が次第にのみこめてくるだろう。さらに、脱アメリカニズムを各国が模索している潮流に背をむけ、あたかも無邪気な少年少女のように産官学のリーダーたちが相変わらず米国流のデジタル化を礼賛しているのかも分かってくる。

だが困ったことに、21世紀の今日、それは次に述べるように大きな危険をはらむことになる。

トップダウンＤＸの危うさ

声を大にして主張しなくてはならないのは、有史以来の日本における、文化摂取の積極性と社会的価値の保守性という二重構造が、21世紀の今日、もはや機能不全を起こしているということだ。この流れは20世紀末からあったが、最大の契機は２０００年代半ばのウェブ２・０の到来である。今や、階層を問わずあらゆる人々がインターネットでコミュニケートし合えるようになった。このため、日本社会に地殻変動が生じたと言ってもよい。

丸山が指摘した二重構造が、日本が生き延びる上で、これまで有効に機能してきたことは否定できないだろう。グループのリーダーが外来知を迅速に咀嚼《そしゃく》学習し、一般のグループメンバーはみなリーダーの言葉におとなしく耳をかたむける。そしてタテマエとホンネを上手に使い分けつつ、協調して仕事にいそしむ。——これは、前述の集合知シミュレーションが示すように、安定した社会の一つのあり方だ。明治維新後の日本は、周知のようにアジア諸国のなかで例外的なほど、西洋文明の直輸入に成功した国である。欧米帝国主義の模倣に走りすぎて太平洋戦争で大火傷を負ったものの、敗戦後の高度成長でたちまち世界第二位の経済大国にのしあがった。

20世紀後半、日本は水田耕作の農業国家から大量生産の工業国家に変わったが、社会・文化の二重構造そのものは依然として不変に保たれた。つまり欧米文献を読みこなすエリート設計者の指示のもとで、勤勉で誠実な工場労働者たちが高品質製品を手際よく生産し、さらに輸出にいそしんだのだ。その心性は、きめこまかい努力と注意を要する水田耕作をおこなう農民と同じである。昔ながらの共同体的結合性は、農業生産から工業生産の場にそっくり引き継がれた。メーカーでコンピュータ研究者として十数年働いた体験から、筆者はそう断言できる。

１９６０～７０年代に米国からコンピュータ技術が導入され、本格的な情報社会になったのちも、この二重構造は保たれた。コンピュータ・メーカーの研究者は英語文献を読みこなし、練達のプログラマーと一体となって作業をおこない、ユーザーの専門担当者と力を合わせて次々に複雑大規模なＩＣＴ(情報通信技術)システムを構築していった。前述の新幹線運行管理をはじめとする交通システム、金融関連の銀行オンラインシステム、公官庁の諸々の事務管理システムなど、みな同様である。あくまでクローズドなシステムではあったが、当時の国産システムの性能や信頼性が世界に誇れる水準にあったことは間違いない。

一方、２０１０年代以降のグローバルなオープンネットは、大型メインフレーム・コンピュータ中心のこれら20世紀型のＩＣＴシステムとは大きく異なる。プロにくわえて多様な一般の人々がユーザーとなり、ＧＡＦＡＭプラットフォームを介して、お互いにデータを交換しあう。システム設計者のクローズドな指示にもとづく標準的なデータ処理だけを実行するわけではない。「オープンソース」「オープンデータ」「クラウド処理」といった新しい概念を駆使し、多少の中断や故障など乗りこえ、国境をまたいで処理が継続していくのである。

もはや社会の上層から中間層・下層にいたる、ジックリ時間をかけた知の浸透など許されず、有史以来の二重構造は存在しない。国民の誰もが、めまぐるしく変化しミスも多いオープンシステムのデータ交換に自己責任で参加しつつ、日常生活をおくることになる。日本社会の伝統を考えれば、人々が不安になり、マイナンバーカードの利用にも及び腰になって、ＤＸがなかなか進展しないのも無理ないことではないか。

なおここで、丸山のいう日本社会の上層・中間層・下層という区分について一言つけ加えておこう。身分制社会では言うまでもないが、昔は、知的階層が経済的階層とかなり重なっていた。明治維新後に四民平等になったが、敗戦後しばらくの間も、教育格差にともなって、両者はつながっていたのである。儒教の伝統のせいだろうか、書物を読む人々は一定の見識をそなえ、一般の人々に権威ある知を伝える役目をおびた「教養ある知識人」だという常識的区分も残っていた。だが今や、そういう区分は崩れさった。そもそも「知的階層」の存在は疑わしくなり、大手をふって存在するのは経済的階層のみなのである。

三十数年にわたり大学で教えてきた筆者の印象では、現在の日本の高等教育機関は、政府の方針のせいか、知識人を育てるという機能をすっかり放棄してしまった。大学さらに大学院でも、求められるのは経済的階層の梯子をのぼるための「スキル」以外ではない。大学教員に期待されるのは、見識や教養ではなく、ただ狭い分野の先端知識だけであり、その知識がオカネと直接結びつかなければあまり値打ちがないとみなされてしまう。こういう価値評価は、なお知的階層の区分が残存している欧州諸国と違って、米国ではごく普通なのだ。日本はすみやかにそれを輸入したのである。

さて、こうして現在の日本には、経済格差はあっても知的には混乱状態にあると思われるのだが、はたして政府のデジタル化政策は社会をいかに変えようとしているのか。

一般論として、ＤＸが成功するためには、デジタル・データを操る政府や大企業にたいする厚い信頼感がなくてはならない。だが、普通の日本人にとって、安全や安心の基本的土台は、顔の見える地元の役所や商店など、リアルな身体的コミュニケーションにもとづく共同体的な信頼関係である。それらは仮想空間のデータ処理とは異質なものなのだ。とりわけ近年の、政権中枢や高官による公文書改竄や国会での虚偽発言の連発、また官庁の不正統計や大企業の会計操作などの一連の事件は、エリート支配層にたいする国民の信頼感を深く傷つけてきた。伝統を見失ったこの国は、オープンなインターネットやＡＩによって、むしろ今や、自ら考える力を喪失しつつあるのではないだろうか。

多様な民族があつまる移民国家である米国では、心情的共感より、数学的・機械的な情報処理に頼らざるをえない面がある。だが、日本がそのサル真似をする必要はないだろう。アメリカニズムに批判的だったハイデガーは、早くも１９５５年に、「技術への問い」と題した講演において、以下のように喝破した。

> 自然が何等か計算的に確立可能な在り方で報告されるものであり、従ってそれらの諸情報の一体系《システーム・フォン・インフォルマティオーネン》として(System von Informationen)、依然として仕立てうるものであ

ることを、放棄することはできない。かかる情報体系はその際、またもや姿を変えた因果関係によって規定されているのである。（中略）恐らくここでは因果関係なるものが、同時に或は相次いで確保すべき、役立つものに関する一種の挑発された情報のなかへ、収縮してしまうのであろう。（中略）あのますます高まりつつある直観的なるものに対する断念の過程が、この収縮に対応しているものというべきであろう。（『技術論』、42〜43頁）

ここでハイデガーのいう「情報」とは、第三章でのべた「機械情報」であり、平たくいえばコンピュータで計算できる「データ」のことだ。世界全体が「役立つもの（有用性）」という観点からとらえられ、人間はそのシステムのなかで一定の機能をはたす機械的装置以上のものではなくなる。求められるのは、算定可能な効率の増加のみだ。それは水田耕作などの労働から得られる、生命的で直観的な充実感とは全く異質なものなのである。人間は生きる意味を剝奪され、いつまでも際限なく急き立てられる。政府や大企業が鼓吹するデジタル化とは実は、ハイデガーのいう「総かり立て体制」へと国民を容赦なく追い立てるものではないのか。

こう考えると、鳴り物いりでスタートしたデジタル庁についても、ゆくえが懸念されてならない。メンバーは民間のエンジニアと、各省庁のＩＣＴ担当者の混成チームだそうだ。前者はアメリカ流価値観を重んじ、多少ラフでも効率とスピード第一で走ろうとするだろう。後者は日本流の手堅くミスのない精密なシステム構築に固執するだろう。両者をへだてる心理の壁は高い。防災防疫をはじめ、各省庁に横串を通す必要性は大いにある。だが、性急なシステム統合は非常に難しいだろう。第一章で述べたように、HER-SYSやCOCOAの失敗、特許や年金にかかわるシステム改造の難航は、それなりの理由があったのだ。この経緯を省みずに、ただ行政のDX化でコストを削減すればよいというのは、あまりに浅すぎる短見である。保険証との一体化によってマイナンバーカードの普及を急いでも、データ流出についての人々の不安は消えない。

オモテナシの裏側

アメリカニズムに発するオープンネットがつくる新たな社会的価値観は、日本社会の伝統的価値観とは食い違っている。個人は自立し、自己責任で発言し、行動しなくてはならない。公的ルールさえ守ればあとは自由で、共同体の束縛は少ないが、そのかわり常に競争し自分で道を開拓しなくてはならない。共同体の微妙な力関係にもとづく暗黙のルールを守り、空気を読んで同調し、目立たないように無難に行動すれば、助け合って暮らしていけるというわけではないのだ。

日本人でもオープンネットの個人主義的な価値観が好きな人はいる。そういう人は七転び八起きで自分流の生き方を貫けばよい。告白すると、筆者も若い頃は個人主義的な生き方に惹かれていた。とはいえ日本人の圧倒的多数は、たとえタテマエは進歩的個人主義者でも、ホンネはごりごりの共同体主義者である。それゆえインターネットのＤＸで共同体的結合が破壊されたとき、副作用で巨大な混乱と社会的不安が生じる可能性がある。米国で中間層が没落したのだから、その背中を周回遅れで追いかけるなら、同じことが日本でも必ず起きるだろう。

一億総中流は完全に過去のものとなってしまった。制度面の変化ではまず、規制緩和による非正規雇用の拡大が大きい。次に主要企業における、年功序列賃金と終身雇用の撤廃があげられる。これらの制度変更はかなり以前からのものだが、一般の人々がネットで発言するようになると具体的な不満があちこちで噴出し、炎上する騒ぎになる。政府が賃上げを呼び掛けても焼け石に水なのだ。社会の基本的仕組みがガラガラと崩れれば、人々はどんな目標を立て、何を求めて努力すればよいか分からず、自信を喪失してしまう。顧客や社員の幸せより株価が大事な金融資本主義のもとでは、短期的利益をあげることが至上の目的となり、ＡＩとビッグデータで算出される株価の狂奔に人間がのみこまれることになるのだ。

新自由主義による市場原理をつきつめると、人間の価値も経済的に計算できる。ネット社会での計算の仕方をあたえるのは「アテンション・エコノミー」と呼ばれるメカニズムである。これは「関心経済」と訳されるが、要するにネットのなかでどれほど目立つかで対象の値打ちが決まる、ということだ。商品も人間もおなじである。注目され、消費者の欲望をそそる商品には、それを生みだす人間とともに高額の正札がつけられる。一方、全く注目されないものはクズ同然となってしまう。

消費者の関心をひきつける情報コンテンツをネットで選別し広告主に売るというビジネスで法外の利益を得ているのが、GAFAMをはじめとする米国のプラットフォーム企業である。コンテンツが人々の関心をひき、目立つためには、ネットで検索したとき上位リストにランクされなくてはならない。この検索アルゴリズム(算法手順)を研究開発して急成長したのがグーグル社であることは言うまでもないだろう。アルゴリズムの中身は企業秘密だが、基本的には多くの人々がネットで閲覧し、「いいね」とクリックすればランクは高くなる。そこには「目立つものはいっそう目立つ」という正のフィードバックが働く。

情報学的にはこの現象は興味深い。理論社会学者のルーマンは、近代社会は複数のオートポイエティックなコミュニケーション・システムから成り立つと考えた。経済システム、政治システム、学問システムなどである。これらのシステムは並列で機能的に独立しており、別々の価値観や意味体系を体現している。ルーマンの着眼は見事だが、21世紀の現代社会を分析するには、相互の並列性にくわえ階層性をも考慮しなくてはならない。

第三章でのべたように、基礎情報学のHACS(階層的自律コミュニケーション・システム)モデルにおいては、オートポイエティック・システムのあいだに一種の階層性があり、下位システムは上位システムの制約をうけつつ作動している。そして、経済、政治、学問などの諸システムの上位にはインターネット・システムが位置づけられる。各々のシステムは論理的なメディアのもとでコミュニケーションを産出しており、メディアの違いが独立性を担う。たとえば、経済システム、政治システム、学問システムのメディアはそれぞれ、貨幣、権力、真理であり、各々の論理的地平でコミュニケーションが行われる。ではインターネット・システムの論理的メディアは何か。――それは「テーマ」であり、より具体的には「刺激的か否か」に他ならない。つまり、どれほど面白いかという、ネットを視聴する人々の評価の程度にもとづいてコミュニケーションが産出されていく。コンテンツの内容が正しいか否か(真理の有無)など全然関係ないのである(『基礎情報学　正・続・新』や『生命と機械をつなぐ知――基礎情報学入門』を参照)。

大切なポイントは、現代社会では今や、ネット・コミュニケーションにおいてコンテンツ

（発言や動画など）が一般の人々を面白がらせるかどうか、刺激するか否かが最大の制約条件となり、そのもとで経済・政治・学問など諸々の社会的活動がおこなわれる、ということだ。人々の注目度や関心の高さを測るのはコンテンツ閲覧数や「いいね」のクリック数に他ならない。政治家の政策も、学者の研究も、人々の関心をひかず目立たなければ価値を失ってしまう。

だがそうなると、目立つことのできない人間、つまりネット社会の敗者は、いったい何を目標にして生きていけばよいのか。共同体の絆を切られて孤立し、アテンション・エコノミーのもとでクズのように扱われるたくさんの人々の怨念はどこへ向かうのか……。

日本は先進国のなかでは、引きこもりや自殺が多いという。自分の価値がないと思いこみ、自信や意欲を失ってしまう人はすでに増えつつあるのだ。たとえ学歴や収入が低くても、昔ながらの小さな共同体のなかで尊敬され、具体的な目標をもっていれば、そんな事態にはならないだろうに。

とりわけ気になるのは、多くの若者たちが未来に明るい希望をもっていないことだ。日本財団による2019年の「18歳意識調査」では、「将来の夢を持っている」と回答した日本の若者の割合は、欧米やアジアなど9カ国中で他国より30％ほど低い最下位となった。また、BIGLOBEが2022年におこなったアンケート調査によれば、18〜25歳の男女600人の中で「日本の未来に期待をしていない」という項目に「あてはまる」「ややあてはまる」と答えたのは約6割にのぼったという。こういうことは他の先進国ではまず見られない。

絶望や自己否定が、ひるがえって他者へのからかいや攻撃となる場合も少なくない。フェイクニュースをつくりあげ、ツイッターでばら撒いたりして面白がるわけだ。これも騒ぎをおこして目立ちたいという願望の表れだろう。悪質なのは職場や学校での弱者にたいする集団イジメだが、とりわけ、犯罪被害者など苦しんでいる相手をネットで中傷する行為は目に余る。

２０１９年の池袋暴走事故で妻子を奪われた男性にたいし、「金や反響目当てなのか」「悲劇のヒーロー気取りか」などとSNSで投稿したのはひどい例だ。目立っているのがそれほど羨ましいのだろうか。さらには、死ぬ前にせめて関心を集めようというわけか、信じられないような最悪の無差別殺傷事件まで起きてくる。たとえば、東京の京王線でジョーカー姿の若い男がナイフを振り回し車内に火をつけた事件(２０２１年10月31日)や、大阪の心療内科で60代の男が放火して男女26人の犠牲者を出した事件(２０２１年12月17日)など、もはや際限がない。

こうした事件は、狂気の例外的な暴発だとみなせるかもしれないが、さらに懸念されるのは、目立たないたくさんの人々の怨念が凝集し、ふくれあがり、匿名参加の陰湿な排外的ナショナリズム運動に結実していくことである。このポピュリズムは、米国のトランプ現象に似ているが、この国ではもっと根深い危険をはらむのではないのか。米国は何といってもオープンな自己責任の国であり、最大の利用者をもつフェイスブックでも発言は原則として実名だ。一方、日本のSNS利用者の匿名率は、米英が3割程度なのにたいし7割をこえるという。トランプ支持の匿名ネット掲示板から始まったQアノンが、日本の「2ちゃんねる」の真似をしたというのはまんざら嘘ではない。

自分の顔を隠して他者を攻撃する集団行動は、容易にヘイトスピーチや民族的ポピュリズムと結びつく。断っておくが、ネットでの匿名発言がすべて悪いというつもりはない。それは「表現の自由」の一環をなしている。だがその種の匿名発言とは、公人をはじめ権力をもつ強者の誤った言動を、一般人が不利益をこうむることなく批判するためのものである。自分は安全地帯にいて、責任もとらず、相手を勝手に罵倒するのが表現の自由ではない。日本の伝統的共同体の道徳では、そんなことをする人物は卑怯者として軽蔑された。だが、共同体の残骸のかたわらで怨念をかかえた孤独な人々は、匿名でポピュリズムに走り、既成エリートを攻撃する独裁的リーダーをかつぎあげ、排外的ヘイトスピーチで溜飲を下げたくなるのではないか。

丸山が言うように、日本人は太古から以心伝心の閉鎖的な共同体のなかで生きてきた。東京オリンピック招致の際「日本はオモテナシの国」と喧伝されたが、観光客にたいするオモテナシの態度は美しいにせよ、裏返せばそれは、相手を平等な仲間と見なさない排外主義の現れでもある。外国人技能実習生にたいする人権無視の虐待を報じるマスコミ記事に接すると、はたして日本は今後、移民や外国人労働者をリベラルに受け入れることができるのかと疑わしくなる。欧州諸国ではすでに移民排斥のナショナリズムが盛んになりつつある。脱アメリカニズムの方向を探るとき、日本が排外的なポピュリズムの罠に陥らずに済むにはどうすればよいのだろうか。

内むきの完璧主義

脱アメリカニズムとは、アメリカ流のオープンなネット文化を頭から否定することではない。若い頃、米国西海岸のスタンフォード大学で過ごした筆者の記憶をたどれば、よい想い出ばかりだ。そこには確かに、あらゆる情報を世界中の人々が共有して未来を開拓する、という無邪気で性善説的な理想主義の輝きがあふれていた。グーグル社の創立者ラリー・ペイジとセルゲイ・ブリンも、スタンフォード大学コンピュータ学科の大学院卒業生である。ただし近年の同社は、広告ビジネスへの過度の傾斜によって、そんな理想主義が色あせてきた感じも皆無ではないが。

米国は特殊な若い国だ。いまの苦境を乗り越えるために、古い歴史をもつ国の人間は、若い国の進歩主義ばかりでなく、自国の文化にも目を向けてはどうか。

日本の匿名文化について辛口で批判したが、ここで逆に、その光明面について述べてみよう。自分より弱い立場の相手への匿名攻撃はむろん抑止すべきだし、ネットで政治的意見表明をする際には実名で発言責任をとるのが民主主義の基本ルールなのは確かである。とはいえ、より広く考えると、匿名や筆名による発言は、日本の伝統的コミュニケーションにおいて大切な役割をはたしてきた。この点は、主語を明示することが稀な日本語の特色と関連しているとも言えるだろう。

フランスの哲学的な文化研究者オギュスタン・ベルクは『風土の日本』などの名著で知られているが、この問題につき「俳句における言葉の露点と景色("Point de parole et paysage dans le haiku")」という論文において明快な議論を展開している。論文の冒頭で引用されるのは文挟《ふばさみ》夫佐恵《ふさえ》(1914-2014)の次の句だ。

　初景色　富士を大きく　母の里

主語は省かれ、発話者を示す言葉はない。にもかかわらず、この句の鑑賞者の心中には、発話者が母親の郷里を訪れて正月を迎えており、そこで堂々とそびえる富士山の姿を眺めて感動している様子がくっきりと浮かび上がる。ここでもし、「私は母の郷里に行って……」といった主語をふくむ説明をくどくどと付け加えるならば、詩興はひどく削がれてしまうだろう。そこには、「言語化される前段階(l'anté-linguistique)」における、暗黙の了解がある。主語の省略は、俳句のような詩的表現では普通におこなわれるが、その狙いは発話者を明示しないことでかえって「言葉で言えないことを感じさせる」という点にある。

ものごとは本来、互いに結びつき、一貫した流れがあり、その中に人間も溶けこんでいる。下手をすると言葉はそこに境界線を引き、流れをばらばらに解体してしまう。だからいたずらに主体を明示せず、「意味が言葉になる瞬間」を慎重に探し出さなくてはならない。タイトルの「露点」とは、空中の水蒸気が凝結して露になる温度のことだが、景色のなかに包みこまれた詠み手の詩句は、状況からいわば露をむすぶように顕現しなくてはならないのだ。そして鑑賞者も、明示的な主語が無いからこそ、より深くその状況を味わうことができるのである。こうして、「リアルな世界(宇宙)」をとらえる新鮮な視座が誕生する。

父親が俳人・詩人で、文学関係者が出入りする家庭で育った筆者には、ベルクの議論はとても納得がいく。俳句や詩の仲間同士の会話においては、暗黙の了解は当然のものとされ、切り詰められた象徴的言語のやりとりによって実に濃密なコミュニケーションが行われるのである。俳句は「座の文学」であり、参加者が互いに詩興を分かちあうことで共同体的な創作宇宙がうまれる。俳号を名乗るとしても、それはいわば「仮の名前」にすぎず、自分を全体状況のなかに隠すことで、真に本質的なものに迫ろうとするわけだ。

さて肝心なのは、こういう文化が俳句だけでなく、日本社会のあらゆる面に浸透していたという歴史的事実である。一般に日本語では主語が省略されることがむしろ普通だし、それは西洋の印欧系言語とはっきり違う点だ(スペイン語のように主語省略が多い場合でも、述語の活用形で主語が示される)。ベルクは、日本語はフランス語より、「ピカドン」などといった擬態語が数も使い方も比べ物にならないくらいはるかに発達していると指摘している。それらは感性を誘発し、意味の印象をリアルに表すのだ。

ベルクはのべる、「状況の行為項——何よりも第一に発話する主体——を詳しく述べることは、体験の次元での状況を、明らかに言語的な陳述の次元に移し、ある〝描写(représentation)〟の背景の中でその状況を再構築すると思われる。逆に行為項をはっきり述べないことは表現を〝存在(présence)〟に近づける。別の言い方で言うと、よりダイレクトに体験を何かしらの状況にするのである」と。

自分のアイデンティティをあえて明示しない言語を使うコミュニケーションによって、日本人は昔から水田耕作や工芸品制作など、諸々の生産活動をおこなってきた。自己意識を減じ、状況の中に沈潜しないと、すぐれた創造はできないという信念がそこにはある。いわゆる匿名文化は、その流れを引いているのかもしれない。これは「自分の権利を主張せよ、自分の利益が第一だ」という、現在の米国を悩ませているミーイズムとは全く逆の方向ではないか。こういう文化は、オープンな大規模社会でなく、小規模で強くむすばれたクローズド共同体のなかで育つのである。

ただし、右にのべたような暗黙の了解という前提は、意味の伝達を困難にすることも多い。これを防ぐために、一種のシンタックス（統辞論）として、俳句では歳時記があり、武道では「型」がある。武道だけでなく、広義の「型」のようなものは、第二次世界大戦後の高度成長をもたらした日本の企業活動の現場にしっかり根を張っていた。それが、１９７０〜８０年代に企業研究者としてコンピュータ・システムの開発に従事した筆者の実感である。コンピュータのソフトウェア自体は、むろん純粋にデジタルな論理構成体であり、シンタックス的な集積物に違いない。だがその背景や根底には、高性能・高信頼の製品をつくるという設計思想のセマンティックス（意味論）があり、プログラマーも皆それを体感しつつ仕事をしていたのである。

金融資本主義全盛となった今、「もはやものづくりの時代ではない」という声も高い。だが、性能も信頼性もすぐれた高品質製品は、平均的品質の大量生産品と異なり、どこの国でも作れるわけではない。精密な製品への国際的需要は21世紀以降も続くだろうし、その生産のためには濃密なコミュニケーションと目にみえない細かな工夫が要る。それらは以心伝心、阿吽の呼吸が通じる共同体社会でしか得られないものだ。短距離走の例を引くと、2016年のリオデジャネイロ・オリンピックで、男子100メートル走では準決勝に残れるかどうか分からないような4人の日本選手が400メートル・リレーで銀メダルを獲得したことで、世界中が驚嘆した。真似できないほど卓越したバトン・チームプレーの技術こそ、資源のとぼしい国土で日本人が生きていくための最大の、そしておそらく唯一の財産ではないかと筆者には思えてならない。

このことは工業製品にかぎらず、農作物はもちろん、工芸品、アート作品、料理そのほか、各種のサービスも同様である。たとえば、海外旅行客は、「乗せてやっているんだ」「担当以外の安全点検なんてやらないよ」といった航空会社より、「誠心誠意、顧客につくすのが当然です」という航空会社を選ぶだろう。同種の価値観は、深く浸透した伝統的な美学に他ならない。タテマエは外から輸入しても、多くの日本人が密かに固執するのは、「仲間に恥ずかしくない、内むきの完璧主義」なのである。抽象的論理性より感性的な清潔さを重んじる「生き方の美学」なのだ。

したがって、そういう伝統的美学と矛盾する最近の価値観、とくに個別企業の短期的利益や個人の短期的成績のみに結びつくアテンション・エコノミーが君臨すると、多くの人々は途方に暮れてしまう。ならばもうそろそろ、目を覚ましてはどうか。米国のサル真似をせず、昔ながらの美学にもとづいてネット文化を活用する方途を、自分で探してみてはどうか。

ミーイズムを克服し、自らの欲望を節制して皆のために尽くすとは、主観の相違をのりこえ、時間をかけておおむね皆が納得できる着地点を求めていくことだ。物事をやたらに数値評価し、そのデータを機械的に高速交換すればよいのでもないし、ＡＩに丸投げで最適解を計算させればよいのでもない。衆知をあつめるボトムアップの集合知から、長続きする本物の効率向上が達成されるのである。

日本人とロボット

21世紀のデジタル社会で生きていく際、注目されるのはロボットという存在である。半世紀近く前から、ロボットの技術開発は日本のお家芸だった。とくに産業用ロボットの能力は世界トップレベルで、20世紀後半の経済発展の支柱の一つだったのである。１９９０年代末、ロボット研究者がコンピュータ科学者全体のなかで占める割合を比べると、日本は米国の4、5倍にのぼると言われた。それほど日本人はロボット好きであり、この点は、不気味なロボットに違和感をおぼえると語る欧米人といちじるしい対照をなしている。

現在、ロボットの研究開発はますます興隆しているが、これは、２０１０年代から第三次ブームをむかえたＡＩとのドッキング効果が大きい。以前のほとんどのロボットは単独で物理的動作をおこなうだけの機械製品だったが、今ではしばしばインターネットに連結され、かなりの知能をもっており、コミュニケートしながら外見上は自己判断で動いたり言葉を発したりしている。つまり、生物めいた手足に加え、「頭脳」をもった機械なのである。それゆえ、このドッキングは日本の工学者には画期的な出来事なのだが、他方、欧米の研究開発者にとっては、新たに深遠な問いを突きつけられたという気がするだろう。

以下、「ＡＩロボット」という概念は、デジタル仮想空間と連絡し言葉を話す機能をもつが、あくまでリアル空間で動くＡＩつきの物理的ロボットを意味することにする。つまりそれらは仮想空間の内部だけのエージェントではない。ではそういうＡＩロボットがなぜ21世紀のデジタル社会をとらえ直す契機になるのか、考えてみることにしよう。

万物を神が創ったというユダヤ＝キリスト教の教えにしたがえば、神ならぬ人間が人間めいた存在を作るというのは、身の程をわきまえぬ冒瀆的行為である。近代科学技術の進展とともに、西洋の人々のあいだに一種の畏怖感が強まってきたことは十分に想像できる。メアリー・シェリーの『フランケンシュタイン』、ヴィリエ・ド・リラダンの『未来のイヴ』など、そういう恐怖の物語は少なくない。カレル・チャペックの戯曲『R・U・R』における奴隷労働機械は「ロボット」の語源となったが、周知のようにそれは反乱をおこし人間に刃向かうのだ。自らの制作物によって人間が復讐される——これが西洋人のロボットにたいする違和感の源流なのだろう。

思考機械であるAIもロボットと同じことなのだが、リアル世界で動き回るロボットと違って抽象的なので、違和感は小さいと推測される。また、第一次、二次世界大戦の影響か、科学技術の絶対的進歩にたいする信頼感は米国のほうが欧州よりずっと大きいことも、AIが米国で発達した一因と言えるだろう。いずれにしても、AIとのドッキングによってロボットへの注目度は世界的に高まっている。ただし依然として、「世界(宇宙)を観察する機械とは何か、それは人間とどう違うか」という根源的問いが、AIロボットの登場とともに西洋の知識人のあいだで繰り返されていることは確かだ。

パリのソニー研究所でロボット犬ＡＩＢＯの研究開発に従事したＡＩ専門家フレデリック・カプランは、そういう知識人の一人である。著書『ロボットは友だちになれるか（*Les machines apprivoisées*）』は、日本人とＡＩロボットとの関係を考える上でとても興味深い好著である。現場の開発体験をふまえつつ、カプランは同胞である西洋人がロボットに示す違和感に当惑し、むしろ反発をおぼえる。

近代科学によって世界（宇宙）に概念的な境界線をひき、秩序立てていったのが西洋の啓蒙主義である。だが同時に、西洋人は、ハイブリッドなもの、境界を侵犯する被造物、分類されがたい被造物が誕生してくるのに不安を抱くようになってしまった。それに対して啓蒙主義の「光」が訪れなかった日本では、文化と自然を連続させる関係を織り上げていくことができ、テクノロジーの進歩が生み出す人工物を歓迎し、冷静に受け止めてきた、とカプランは考える。日本人にとって人工物とは、自然と対立するのではなく「自然を改めて手に入れる手段」なのであり、したがって、人工を通じて自然を「よりよく再認識」することが可能になるのだ、というベルクの『風土の日本』の議論を参照しつつ、カプランははっきりと次のように断定する。

日本人にとってロボットはまず、「形式」を再現したものである。それは、武道で使われる「型」のようなものだと言えるかもしれない。(中略)形式そのものを探求すること、人工物を通して作り直すこと、人間と自然のあいだに関係性を織り上げていくこと。日本人の考え方のこれらの根本的な特徴が、ロボットが日本でこれほど受け入れられる理由だろう。(『ロボットは友だちになれるか』、160、163頁)

この指摘には、同感する人だけでなく首を傾げる人もいるかもしれない。とはいえ、西洋から見た日本人と技術の関係として、ひとまず念頭におくべき議論ではないか。AIロボットの用途はさまざまだ。原子力発電所の廃炉作業をはじめ、人間には危険すぎる種々の実用的仕事に役立てることもできる。逝去した家族の分身になったり、恋人の代わりをつとめたりして、心をなぐさめる情動(娯楽)的存在にもなる。介護施設で、実用と娯楽の両者を兼ねたような役割をはたすこともあるだろう。いずれにしても、AIロボットはただデジタルな仮想空間と関わるだけでなく、リアル空間に参入し、そこに新たな次元を付け加えるはずだ。リアルな自然のとらえ直しの影響はさまざまだろうし、未知の領域も数多い。

こういうAIロボット研究開発の意義について、カプランが実用や娯楽以外に指摘するのは、それが「脱魔術化、脱神秘化」という社会的効用をもつことだ。とくに「人間の本質を知る」

という知的探究性とかかわる点が強調される。この点はきわめて大切ではないだろうか。

脱魔術といえば、ハイデガーが、近代技術は世界を魔術化し「総かり立て体制」に巻き込んでいる、と鋭く批判したことが連想される。ロボットは昔から人々を驚かせ、幻惑する機械だったから、むしろ魔術化の一環だと見なす方が納得がいく。AIロボットと真正面から向き合うことで、人間は逆にその呪縛から解き放たれることができるのだろうか。

ここで前述のハイデガーの「総かり立て体制」に立ち戻ろう。原語は「Ge-stell」であり、「stellen」は「立てる」という意味だから、直訳すると「立て - 組み」ということになる。つまり、仕立てたり駆り立てたりする様々な働きを集めたのが「立て - 組み(Ge-stell)」なのだ。現実の世界(宇宙)を「役立つものとして仕立てるように、人間を纏めてゆく、あの挑発的な呼び求め」こそが「立て - 組み(Ge-stell)」である。これはたとえば、人間の生活にかかわる諸対象をことごとくアテンション・エコノミーの尺度で計算し、それを役立つように駆り立てる、といったことだ。実際、近代技術の本質が「立て - 組み(総かり立て体制)」にあるというハイデガーの指摘は、21世紀のデジタル化にともなって益々鮮明になりつつある。

とはいえ、である。ハイデガーはこれに加え、この現状を克服する「技術のもう一つの可能性」についても述べているのだ。それこそが「ポイエーシス」すなわち「(現実から真実なものを)出で来たらすこと」に他ならない。「Ge-stell」はポイエーシスを塞ぎ立てるけれど、真実は無くなったわけではなく、美的な技術(テクネー)によって発露しうる、とハイデガーは説く(『技術論』、28〜29、37、45〜57頁)。

はたして人間はＡＩロボットによって、ハイデガーのいう「ポイエーシス」へ向かうことができるのか。もしかしたらそれは、「利益をうむ刺激をつねに追求すること」から「死すべき命を見つめて、無常の美学にもとづき刻一刻をキレイに生きること」への転換ではないのだろうか。とすれば、ただ欧米の論文を精読し、先端技術の部分的改良にいそしむだけでなく、ＡＩロボットと関わりながら人間のリアルな生を見つめ直すことが肝心だろう。仮想空間をコントロールする現代のデジタル技術の根底にある、金融資本と直結した科学文明を批判する眼差しがそこから芽生えるかもしれない。

関連して、ＡＩロボット研究が「人間の本質を知る」ことにつながるか否かについて述べておきたい。そういう意見が誤りとは言えないが、研究のアプローチが単に「コンピュータで人間の心(または脳)の働きをシミュレートする」といったものなら、成果は乏しいだろう。なぜなら、得られるのはたかだか「人間の精密な機械モデル」に過ぎないからだ。このアプローチは、生きている人間と作られた機械のあいだの絶対的差異から目をそらし、「人間は一種の機械装置だ」という前提から出発している。したがって、いつまで経っても、ハイデガーのいう「ポイエーシス」ではなく、駆り立てる「立て‐組み」の中でぐるぐる回るだけなのだ。人間を機械の領域に引きこめば、西洋的自然秩序の領域侵犯の不安は無くなるが、それでは日本人独特の視座から自然を再認識することにはならない。そもそも、人間は機械と同質だと主張する研究者は、自分自身や家族が機械装置だと本当に信じているのだろうか。

まずは、生物のもつ「ラディカルな自律性(autonomy)」とは何か、ＡＩロボットという機械のもつ疑似的な自律性とはどう異なるのか、この問いの徹底的検討から始める必要がある。なぜなら、まさに「人間のように思考する疑似的主体」が社会のなかに多数はびこり、重要な判断を下し始めた、ということが現代の最大の問題の一つだからだ。

機械の自律性に関する原理的議論などヒマツブシでしかないという声もあるが、それは違う。一つだけ分かりやすい例をあげよう。第二章でもふれたが、自律型致死兵器システム(ＬＡＷＳ)と呼ばれる兵器がある。ＡＩが標的を識別して攻撃するドローンなどの、いわゆる「殺人ロボット」だ。判断も正確で速いし、味方の損害を減らせるという理由で、米国、ロシア、中国などで盛んに研究開発されているという。これについては数年前から国連で禁止のための議論がおこなわれているが、具体的に実効性のある国際条約が結ばれたというニュースは聞かない。ロシアのウクライナ侵攻ですでに使用されたかどうかは不明だが、この種の「自律的」なAIロボットは今後、あちこちの紛争で多用されていくのではないのか。もしそれが非戦闘員の老人や子供を虐殺したとき、AIロボットに責任を問えるのか。真の自律性をもっていれば責任をとれるはずだが、そうでなければ、軽々しく「自律性」という属性を機械に与えるべきではない。さもないと、責任を問うことなく、いくらでも人間の命を奪える事態になってしまうからだ。

日本がAIロボットで世界をリードするには、まず自律性についてもっと深く議論すること、そしてリアル空間を生きた人間のために上手に統御する努力が不可欠である(拙編著『AI・ロボットと共存の倫理』を参照)。それが総かり立て体制から脱出する第一歩になるかもしれない。総かり立て体制がデジタル仮想空間の前提だとすれば、これをもとにリアル空間を統御しようとするメタバースの発想は、ハイデガーのいうポイエーシスとは逆の方向だと分かってくるだろう。現在の仮想空間のなかでは、偽情報で人々をたぶらかす、ディープフェイクのAIエージェントすら勝手に跳梁跋扈《ちょうりょうばっこ》できるからだ。

安心サブネットと情報教育深化

これまでの議論を振り返ってまとめてみよう。

いったい日本のデジタル化は成功するのか。――本書はそういう問いかけから始まった。当然の疑問だろう。中国に追い抜かれたとはいえ、GDPではなお世界第三位の経済大国である。1970～80年代には、コンピュータの研究開発でトップの米国に迫る勢いだったのだ。それが今や、デジタル競争力で、欧米はもとより中国や韓国、台湾などのアジア諸国よりも低くランキングされている。産官学の関係者が躍起になるのも無理はない。

そこで現在、マスコミも動員してさかんに唱えられているのがDXとメタバースなのだ。前述のように、DXはオープンなインターネットによって社会全体を変革するということであり、メタバースはさらに一歩進んで、AIを活用した仮想空間からリアル空間を形成していくという未来志向の考え方である。いずれもアメリカニズムに由来している。マクロに見れば、それらはデジタル技術の本流に沿っており、日本も適応しなくてはならないはずだが、以上のべてきたように現状のままでは、すみやかにこの国で受容され浸透していくとはとても思えない。

一つの理由は、繰り返しになるが、外来文化の受容の仕方の変化である。昔の日本では知的エリートが海外文献を読破し、時間をかけてその知識を一般の人々にひろめていくという慣習があった。一般の人々は外来の知識をタテマエとして尊重し、活用しながらも、古来のクローズドな共同体的結合性を失うことなく、無難に暮らしてきたのである。だがこの二重構造の文化伝達の仕組みは、２０００年代の「ウェブ２・０」の到来とともに大きく揺らいでしまった（拙著『ウェブ社会をどう生きるか』参照）。一般の人々が外来文化に直接ふれ、ＳＮＳでコミュニケートし合うとき、思いがけない副作用が生じる。今回のデジタル化では、外来知識が日常生活と直接むすびつくこともあり、オープンとクローズドの国民性の違いがはっきり表面化してしまったのだ。

移民からなるアメリカ社会はオープンで、人々は独立したアイデンティティにもとづく自己責任の言動を求められるから、ＤＸに抵抗はない。「多様性・変化・平等」がその価値観だ。一方、ムラで水田耕作をしてきた日本社会は伝統的にクローズドで、人々は周囲の空気を読む言動を求められ、「同質性・安定・階層秩序」という価値観を捨てきれない。信頼関係は顔見知りの狭い共同体のなかで築かれるのが原則だから、急に「ネットを信用しろ、取引の契約も役所の手続きも、全部ネットでやれ」と言われても戸惑ってしまうのだ。もし万一、ネット取引で多額の損失をこうむったら、いったい誰が責任をとってくれるのか。ディスプレイ画面で手続きの案内をしたのはＡＩエージェントらしいが、アイツは信用できるのか。それとも、端末から入力した自分のミスなのか……。

冷静に顧みると、小さなミスでも気にかかる大半の日本人は、多少不完全でも新奇性のある生活を追い求めるとはとても思えない。親密な共同体での気配りコミュニケーションが、暗黙の了解にもとづく完璧で安定した社会関係をもたらしてきた。こういう伝統的な価値観が、すぐれたICT潜在能力がありながら、日本社会でアメリカ流のDXが進まない最大の原因なのだ。

さらに、アメリカニズム自体が、国際的なお手本としての魅力を失いつつある、という点も見逃せない。多様性・変化・平等という理念そのものは納得できるとしても、グローバルなデジタル文明は今や、金融資本主義やアテンション・エコノミーとしっかり結びつき、経済格差を異常に拡大させている。これが現在、米国民を悩ませている分断の元凶である。トランプ現象やオルタナ右翼の台頭は、没落していく経済的中間層・下層の人々の反発の現れだが、同じようなポピュリズムが世界各国で勃興しつつあるのだ。

弱者にたいするネットでの誹謗中傷やヘイトスピーチは、日本でも数多い。共同体の絆を断ち切られ、きびしい競争に投げこまれて敗れた人々の怨念は、日に日にふくれ上がっていく。グローバルなオープンネスにもとづく経済発展によって一部の経済的エリートの富は増えるかもしれないが、中間層・下層の平均的な国民は、デジタル化の恩恵にほとんどあずかれない。とすれば、日本流のトランプ現象がいつ暴発してもおかしくないだろう。

にもかかわらず、この国の産官学リーダーたちは、相変わらず直輸入したアメリカニズム一点張りで、やれＤＸだ、やれメタバースだと喧伝するだけだ。いま求められるのは、それらの概念を日本人の国民性に沿ったかたちで再編成し、活用する方向を模索していくことなのである。たとえば、小規模なチームプレーを積みあげ、ボトムアップの本格的集合知をネットで形成する努力は有効だろう。また、仮想空間ではなくあくまでリアル空間に立脚したＡＩロボットの開発が、21世紀の国民生活を豊かにしていく可能性もある。

最後に、関連する具体的な提案をしておこう。

第一に望まれるのは、一般の人々が安心して利用できるネット環境の整備である。周知のように現在のインターネットは(プロバイダ料金をのぞき)無料のインフラである。だがそれゆえに、アテンション・エコノミーが猛威をふるっているだけでなく、犯罪の温床にもなっているのだ。詐欺メールや怪しげな投資勧誘など、いかがわしい情報が連日のように押し寄せてくる。罠にかけるディープフェイクのＡＩ技術はますます巧妙になっていく。日本人は今後ずっと、こういう危険千万なネット環境のもとで、リモートワークやオンライン授業を続けていかなくてはならないのか。道路や下水道と同じく、国民生活のインフラの信頼性・安全性を保障するのは、政府の役目ではないのだろうか。

そもそも、GAFAMはじめ外国企業が生活の基本的な部分を独占的に担っているというのもおかしな話だ。むろん、ネットでサービスを提供する外国企業があってもよいが、少なくとも、政府のリードでプラットフォーム関連の国内企業が結集し、信頼できる安全なサブネット領域を建設することは公益上望ましいのである。サブネットだから、オープンなインターネットの一部ではあるが、半ばクローズドであり、その中でフェイク情報やサイバー犯罪情報がかなり排除されていれば、一般人のデジタル化への意欲はぐんと高まるだろう。現状では、企業は仮想専用線（VPN）といったサービスを用いることもできるが、一般の人々は不安で仕方がない。この点もDX推進の壁となっているのだ。2022年の春にようやく「サイバー警察局」が発足したが、日本は他国よりサイバー犯罪への防御が甘いと言われ、国際的な犯罪組織から狙われている。

要するに、日本のインターネット使用環境は、一般ユーザーの視点に立ったインターフェイスのソフト面が弱いのだ。他方、ハード面は優れており、次世代移動通信網の5Gインフラや、次世代ネットワーク（Next Generation Network）の整備につづき、非パケット交換方式の新世代ネットワーク（New Generation Network）の開発計画も進められている。デジタル庁は省庁間に横串を通すというが、総務省、経済産業省、警察庁などと協調して、ハードとソフトを併せ、一般国民が安心して利用できる国内ネット環境をぜひ整えていただきたい。デジタル庁には、防災防疫を中心とした行政ＤＸが緊急に求められるが、期待される課題はそれだけではないのである。

第二に、もっと長期的な提案をしよう。それは情報教育の深化と見直しである。

本格的なデジタル社会を建設していくためには、それを担う人材を育てなくてはならない。また、デジタル技術というものに対する一般の人々の見識を養うことも不可欠だ。２０２２年度から高校の情報教育は以前より強化され、プログラミングなどを学ぶ「情報Ⅰ」が新設されることになった。これとともに、２５年度の大学入学共通テストでは、「情報」が出題科目に加わることになるという。さらに幾つかの大学では、第三章でのべた「データ科学」を専攻する学部が新設されつつある。デジタル文明が急速に本格化するなかで、情報についての教育が拡充されること自体は歓迎すべきなのだが、懸念されるのは、扱われる情報概念のとらえ方があまりに狭すぎることだ。

筆者が仄聞するところでは、計画中の情報教育の主眼は、70年以上前に米国の通信工学者クロード・シャノンが明示した機械的な情報つまり「データ」を処理する、という範囲を一歩も出るものではない。シャノンの理論はデータの処理効率のみに関わり、情報のもつ意味内容には一切関与しない。しきりに大事だと力説されている「プログラミング学習」とは、このデータ処理の技術を訓練する教育である。データ処理技術は確かに重要ではあるが、デジタル文明を支える情報学のほんの一部分でしかない。意味の考察は情報学の中心なのに、この守旧的な視野狭窄には首を傾げる。

大学のコンピュータ学科の新入生が最初の2、3カ月で学ぶレベルの知識を高校生に教えたところで、ただちにまともなプログラムを作れるようになりはしないし、さらに、AIの限界もふくめてデジタル文明についての洞察力がつくわけでもない。中途半端なICTエンジニアを量産すれば、かえって社会は混乱するだろう。また本書で述べてきたように、データ科学も決して万能ではないのだ。

情報とは本来、「意味」をもつものであり、その「意味」をもたらすのは生命活動の流れである。デジタル社会で上手に暮らしていくには、機械化の是非をめぐる直観力がもっとも大事なのだ。この基本原則を忘れると、AIと人間の自律性の違いも判らなくなり、人間は取り換えのきく機械部品のようにされてしまう。薄っぺらな数理主義が蔓延し、まさにハイデガーの批判した「総かり立て体制」が暴走を始める。生活はより苛酷になり、人々の不幸は増していく。だから情報教育はまず、この基本原則から出発しなくてはならない。

シャノンの情報概念はユダヤ＝キリスト教の伝統に沿っているが、これに下手に固執すると、「人間が生きるリアル世界よりも、コンピュータのつくる仮想世界が第一義だ」といった妄想にはまりこむ。

ベルクが言うように、日本文化は技術を通じて自然を再認識し、リアル世界を豊饒にする視座を有してきた。日本のデジタル化がめざすべきなのは、そういう方向性の探求ではないだろうか。

主要引用参照文献

第一章

日経コンピュータ『なぜデジタル政府は失敗し続けるのか』日経ＢＰ、二〇二一年

坂村健『ＤＸとは何か』角川新書、二〇二一年

Stolterman, E. and Fors, A. C., *Information Technology and the Good Life*, Umeå University, 2018.

西垣通『ＩＴ革命』岩波新書、二〇〇一年

西垣通『ウェブ社会をどう生きるか』岩波新書、二〇〇七年

第二章

西垣通『ビッグデータと人工知能』中公新書、二〇一六年

松尾豊『人工知能は人間を超えるか』角川ＥＰＵＢ選書、二〇一五年

人工知能学会（監修）、神嶌敏弘（編）『深層学習 Deep Learning』近代科学社、二〇一五年

レイ・カーツワイル『ポスト・ヒューマン誕生』井上健監訳、ＮＨＫ出版、二〇〇七年

ニック・ボストロム『スーパーインテリジェンス』倉骨彰訳、日本経済新聞出版社、二〇一七年

トム・チヴァース『ＡＩは人間を憎まない』樋口武志訳、飛鳥新社、二〇二一年
ユヴァル・ノア・ハラリ『ホモ・デウス　上・下』柴田裕之訳、河出書房新社、二〇一八年
テリー・ウィノグラード＋フェルナンド・フローレス『コンピュータと認知を理解する』平賀譲訳、産業図書、一九八九年
西垣通（編著訳）『思想としてのパソコン』ＮＴＴ出版、一九九七年
西垣通＋河島茂生『ＡＩ倫理』中公新書ラクレ、二〇一九年

第三章

リチャード・ホーフスタッター『アメリカの反知性主義』田村哲夫訳、みすず書房、二〇〇三年
マイケル・ニールセン『オープンサイエンス革命』高橋洋訳、紀伊國屋書店、二〇一三年
西垣通『集合知とは何か』中公新書、二〇一三年
西垣通『ネット社会の「正義」とは何か』角川選書、二〇一四年
ジェームズ・スロウィッキー『「みんなの意見」は案外正しい』小高尚子訳、角川書店、二〇〇六年
マルクス・ガブリエル『なぜ世界は存在しないのか』清水一浩訳、講談社選書メチエ、二〇一八年
マルクス・ガブリエル『「私」は脳ではない』姫田多佳子訳、講談社選書メチエ、二〇一九年
Searle, J. R., "Minds, Brains, and Programs", *Behavioral and Brain Sciences*, Vol. 3, 1980.
エルンスト・フォン・グレーザーズフェルド『ラディカル構成主義』西垣通監修、橋本渉訳、ＮＴＴ出版、

二〇一〇年
西垣通『デジタル・ナルシス』岩波現代文庫、二〇〇八年
ノーバート・ウィーナー『サイバネティックス』池原止戈夫＋彌永昌吉＋室賀三郎＋戸田巌訳、岩波文庫、二〇一一年
クロード・E・シャノン＋ワレン・ウィーバー『通信の数学的理論』植松友彦訳、ちくま学芸文庫、二〇〇九年
橋本渉「ハインツ・フォン・フェルスターの思想とその周辺」『思想』一〇三五号、二〇一〇年七月
Foerster, Heinz von, *Understanding Understanding*, Springer, 2003.
ウンベルト・マトゥラーナ＋フランシスコ・ヴァレラ『オートポイエーシス』河本英夫訳、国文社、一九九一年
ニクラス・ルーマン『社会の社会　1・2』馬場靖雄＋赤堀三郎＋菅原謙＋高橋徹訳、法政大学出版局、二〇〇九年
河本英夫『システム現象学』新曜社、二〇〇六年
「特集　ネオ・サイバネティクスと21世紀の知」『思想』一〇三五号、二〇一〇年七月
Clarke, B. and Hansen, M. B. N., *Emergence and Embodiment*, Duke Univ. Press, 2009.
西田洋平『人間非機械論——サイバネティクスが開く未来』講談社選書メチエ、近刊
米本昌平『バイオエピステモロジー序説』書籍工房早山、二〇二〇年

河島茂生(編著)『AI時代の「自律性」』勁草書房、二〇一九年
西垣通『基礎情報学』『続　基礎情報学』『新　基礎情報学』NTT出版、二〇〇四、二〇〇八、二〇二一年
西垣通+河島茂生+西川アサキ+大井奈美(編)『基礎情報学のヴァイアビリティ』東京大学出版会、二〇一四年
西垣通(編)『基礎情報学のフロンティア』東京大学出版会、二〇一八年

第四章

ラリー・ダイアモンド『侵食される民主主義　上・下』市原麻衣子監訳、勁草書房、二〇二二年
ジャン＝ガブリエル・ガナシア『虚妄のAI神話』伊藤直子ほか訳、ハヤカワ文庫、二〇一九年
西川アサキ『魂と体、脳』講談社選書メチエ、二〇一一年
西垣通『集合知とは何か』、前掲、第五章
藤本龍児『「ポスト・アメリカニズム」の世紀』筑摩選書、二〇二一年
ニーナ・シック『ディープフェイク』片山美佳子訳、日経ナショナルジオグラフィック、二〇二一年
会田弘継『破綻するアメリカ』岩波現代全書、二〇一七年
会田弘継「中間選挙をも揺るがすアメリカの「文化闘争」」『中央公論』二〇二二年四月号
ブランコ・ミラノヴィッチ『大不平等』立木勝訳、みすず書房、二〇一七年
ダニエル・コーエン『ホモ・デジタリスの時代』林昌宏訳、白水社、二〇一九年

第五章

会田弘継『破綻するアメリカ』、前掲
丸山眞男『丸山眞男講義録　別冊二』東京大学出版会、二〇一七年
マルティン・ハイデッガー『ハイデッガー選集　第18　技術論』小島威彦＋アルムブルスター共訳、理想社、一九六五年
西垣通『生命と機械をつなぐ知　第二版』京都芸術大学出版局藝術学舎、二〇二二年
Berque, A., "Point de parole et paysage dans le haïku", *Revue des sciences humaines*, No. 282, Feb. 2006, 29–40.（奥田康子訳「俳句における言葉の露点と景色」、次のウェブページを参照 https://www.issj.net/mm/mm16/11/mm1611-ab-ab.pdf）
松原仁『鉄腕アトムは実現できるか？』河出書房新社、一九九九年
フレデリック・カプラン『ロボットは友だちになれるか』西垣通監修、西兼志訳、ＮＴＴ出版、二〇一一年
オギュスタン・ベルク『風土の日本』篠田勝英訳、ちくま学芸文庫、一九九二年
谷口忠大『コミュニケーションするロボットは創れるか』ＮＴＴ出版、二〇一〇年
西垣通『ウェブ社会をどう生きるか』、前掲
西垣通『ネットとリアルのあいだ』ちくまプリマー新書、二〇〇九年
西垣通（編著）『ＡＩ・ロボットと共存の倫理』岩波書店、二〇二二年

図表出典一覧

図 3-1　橋本渉「ハインツ・フォン・フェルスターの思想とその周辺」『思想』1035 号，2010 年 7 月，101 頁(一部加筆)

表 3-1　オリジナル

図 3-2　西垣通編著『AI・ロボットと共存の倫理』岩波書店，2022 年，第 2 章

図 4-1　西垣通『集合知とは何か』中公新書，2013 年，167 頁

図 4-2　同上，168〜169 頁

図 4-3　ブランコ・ミラノヴィッチ『大不平等』立木勝訳，みすず書房，2017 年，13 頁

図 4-4　同上，110 頁

西垣 通

1948年東京生まれ．東京大学工学部計数工学科卒，工学博士．東京大学名誉教授．日立製作所主任研究員，明治大学教授，東京大学大学院情報学環教授，東京経済大学コミュニケーション学部教授を歴任．専攻は情報学，メディア論．
著書に『ウェブ社会をどう生きるか』『IT革命』『マルチメディア』(いずれも岩波新書)，『デジタル・ナルシス』(岩波書店)，『基礎情報学　正・続・新』(NTT出版)，『AI原論』(講談社選書メチエ)，『ビッグデータと人工知能』『集合知とは何か』(いずれも中公新書) ほか多数．

超デジタル世界
—DX、メタバースのゆくえ　　岩波新書(新赤版)1956

2023年1月20日　第1刷発行

著　者　西垣《にしがき》 通《とおる》

発行者　坂本政謙

発行所　株式会社 岩波書店
〒101-8002 東京都千代田区一ツ橋 2-5-5
案内 03-5210-4000　営業部 03-5210-4111
https://www.iwanami.co.jp/

新書編集部 03-5210-4054
https://www.iwanami.co.jp/sin/

印刷・精興社　カバー・半七印刷　製本・中永製本

ISBN 978-4-00-431956-6　　Printed in Japan

岩波新書新赤版一〇〇〇点に際して

ひとつの時代が終わったと言われて久しい。だが、その先にいかなる時代を展望するのか、私たちはその輪郭すら描きえていない。二〇世紀から持ち越した課題の多くは、未だ解決の緒を見つけることのできないままであり、二一世紀が新たに招きよせた問題も少なくない。グローバル資本主義の浸透、憎悪の連鎖、暴力の応酬——世界は混沌として深い不安の只中にある。

現代社会においては変化が常態となり、速さと新しさに絶対的な価値が与えられた。消費社会の深化と情報技術の革命は、種々の境界を無くし、人々の生活やコミュニケーションの様式を根底から変容させてきた。ライフスタイルは多様化し、一面では個人の生き方をそれぞれが選びとる時代が始まっている。同時に、新たな格差が生まれ、様々な次元での亀裂や分断が深まっている。社会や歴史に対する意識が揺らぎ、普遍的な理念に対する根本的な懐疑や、現実を変えることへの無力感がひそかに根を張りつつある。そして生きることに誰もが困難を覚える時代が到来している。

しかし、日常生活のそれぞれの場で、自由と民主主義を獲得し実践することを通じて、私たち自身がそうした閉塞を乗り超え、希望の時代の幕開けを告げてゆくことは不可能ではあるまい。そのために、いま求められていること——それは、個と個の間で開かれた対話を積み重ねながら、人間らしく生きることの条件について一人ひとりが粘り強く思考することではないか。その営みの糧となるものが、教養に外ならないと私たちは考える。歴史とは何か、よく生きるとはいかなることか、世界そして人間はどこへ向かうべきなのか——こうした根源的な問いとの格闘が、文化と知の厚みを作り出し、個人と社会を支える基盤としての教養となった。まさにそのような教養への道案内こそ、岩波新書が創刊以来、追求してきたことである。

岩波新書は、日中戦争下の一九三八年一一月に赤版として創刊された。創刊の辞は、道義の精神に則らない日本の行動を憂慮し、批判的精神と良心的行動の欠如を戒めつつ、現代人の現代的教養を刊行の目的とする、と謳っている。以後、青版、黄版、新赤版と装いを改めながら、合計二五〇〇点余りを世に問うてきた。そして、いままた新赤版が一〇〇〇点を迎えたのを機に、人間の理性と良心への信頼を再確認し、それに裏打ちされた文化を培っていく決意を込めて、新しい装丁のもとに再出発したいと思う。一冊一冊から吹き出す新風が一人でも多くの読者の許に届くこと、そして希望ある時代への想像力を豊かにかき立てることを切に願う。

（二〇〇六年四月）

社会

ジョブ型雇用社会とは何か　濱口桂一郎
法医学者の使命 「人の死を生かす」ために　吉田謙一
異文化コミュニケーション学　鳥飼玖美子
モダン語の世界へ　山室信一
時代を撃つノンフィクション100　佐高信
労働組合とは何か　木下武男
プライバシーという権利　宮下紘
地域衰退　宮﨑雅人
江戸問答　田中優子 松岡正剛
広島平和記念資料館は問いかける　志賀賢治
コロナ後の世界を生きる　村上陽一郎編
リスクの正体　神里達博
紫外線の社会史　金凡性
「勤労青年」の教養文化史　福間良明
5G 次世代移動通信規格の可能性　森川博之
客室乗務員の誕生　山口誠
「孤独な育児」のない社会へ　榊原智子
放送の自由　川端和治
社会保障再考 〈地域〉で支える　菊池馨実
生きのびるマンション　山岡淳一郎
虐待死 なぜ起きるのか、どう防ぐか　川崎二三彦
平成時代　吉見俊哉
バブル経済事件の深層　奥山俊宏 村山治
日本をどのような国にするか　丹羽宇一郎
なぜ働き続けられない? 社会と自分の力学　鹿嶋敬
物流危機は終わらない　首藤若菜
認知症フレンドリー社会　徳田雄人
アナキズム 一丸となってバラバラに生きろ　栗原康
まちづくり都市 金沢　山出保
総介護社会　小竹雅子
賢い患者　山口育子
住まいで「老活」　安楽玲子
現代社会はどこに向かうか　見田宗介
EVと自動運転 クルマをどう変えるか　鶴原吉郎
ルポ 保育格差　小林美希
棋士とAI　王銘琬
科学者と軍事研究　池内了
原子力規制委員会　新藤宗幸
東電原発裁判　添田孝史
日本問答　田中優子 松岡正剛
日本の無戸籍者　井戸まさえ
〈ひとり死〉時代のお葬式とお墓　小谷みどり
町を住みこなす　大月敏雄
歩く、見る、聞く 人びとの自然再生　宮内泰介
対話する社会へ　暉峻淑子
悩みいろいろ　金子勝
魚と日本人 食と職の経済学　濱田武士
ルポ 貧困女子　飯島裕子

岩波新書/最新刊から

1947 「移民国家」としての日本 ―共生への展望― 宮島喬 著

私たちの周りでは当たり前のように外国人たちが働き、暮らしている。もはや「移民大国」となった日本の複雑な現状を描き出す。

1948 高橋源一郎の飛ぶ教室 ―はじまりのことば― 高橋源一郎 著

毎週金曜夜、ラジオから静かに流れ出す、時に切ない、滋味あふれるオープニング・トーク。朗読ドラマ「さよならラジオ」を初収録。

1949 芭蕉のあそび 深沢眞二 著

芭蕉はどのようにして笑いを生み出したのか。「しゃれ」「もじり」「なりきり」など、芭蕉俳諧の〈あそび〉の精神と魅力に迫る。

1950 知っておきたい地球科学 ―ビッグバンから大地変動まで― 鎌田浩毅 著

地球に関わるあらゆる事象を丸ごと科学する学問は、未来を生きるための大切な知恵を教えてくれる。学び直しに最適な一冊。

1951 アフター・アベノミクス ―異形の経済政策はいかに変質したのか― 軽部謙介 著

金融政策から財政政策への構造転換はいつ、どのように起きたのか。当局者たちの動きを詳らかにし、毀誉褒貶激しい政策を総括する。

1952 ルポ アメリカの核戦力 ―「核なき世界」はなぜ実現しないのか― 渡辺丘 著

秘密のベールに包まれてきた核戦力の最前線を訪ね、歴代政府高官や軍関係者などへの単独取材を交えて、核の超大国の今を報告。

1953 現代カタストロフ論 ―経済と生命の周期を解き明かす― 金子勝・児玉龍彦 著

コロナで見えてきた「周期的なカタストロフ」という問題。経済学と生命科学の両面から現状を解き明かし、具体的な対処法を示す。

1954 マルクス・アウレリウス 『自省録』のローマ帝国 南川高志 著

歴史学の観点と手法から、終わらない疫病と戦争という『自省録』の時代背景を明らかにすることで、「哲人皇帝」の実像に迫る。

(2023.1)